ウクライナ侵攻に至るまで
До вторгнення в Україну

誰も知らないウクライナの素顔
Справжнє обличчя України, яке ніхто не знає

小野 元裕

Оно Мотохіро

装丁　草川　祐二
校閲　巻幡あす香

《本書を推薦します》

日本におけるウクライナ文化交流の第一人者による
ノンフィクションに限りなく近い小説

天理大学准教授　日野　貴夫

「まさか！　嘘だろ!!」

2022年2月24日、ロシア軍によるウクライナ侵攻が始まったとき、ほとんどの人はそう思ったに違いない。21世紀のグローバル社会でヨーロッパ全土を巻き込む暴挙なんて起こるはずがない。ウクライナやロシアを生業としてきた私もそう思っていた。砲弾によって攻撃され破壊されていく建物、傷ついた人。それは絵空事ではなく現実の姿として我々の目に飛び込んできた。そしてその残忍さは日を追うごとに激しさを増し、人びとの感情をも破壊していった。

「ウクライナ」がこれほどメディアを賑わせたことは今までなかった。ウクライナという国がどこにあるのかさえ知らない人もいただろう。皮肉なことではあるが、今回の事件でウクライナの認知度は急激に上がり、ほとんどの人の知るところとなり、大きな関心事となった。

今回『ウクライナ侵攻に至るまで　誰も知らないウクライナの素顔』というタイトルで緊急出版されることになった本書は、小野元裕氏がロシアによる一方的なクリミア併合が行われた２０１４年から月２回のペースで「東大阪新聞」に連載してきたものである。幅広い人脈をもつ同氏が、知己からの情報を駆使したノンフィクションに限りなく近い小説だ。毎月２回連載され、本日、最新の３月15日号が届いた。第１９２回「キエフまで攻撃」。何とタイムリーでショッキングな見出しだろう。この攻撃がもうこれ以上進行しないことを心より願う。大好きなウクライナが壊れていくのを目の当たりにすると胸が張り裂けそうだ。「頼むから止めてくれ！」と声を限りに叫びたい。

小野氏は天理大学でロシア語・ロシア文学を学び、卒業後も出版事業に携わりながらロシアに関わり、それが高じて２００５年には単身ウクライナの地を踏む決意をする。ウクライナすべての州を制覇し、日本ウクライナ文化交流協会を設立。ウクライナ滞在の成果は、ドニエプル出版を立ち上げ『ウクライナ丸かじり』というタイトルでウクライナ・ブックレットシリーズの創刊号として上梓した。また、趣向を凝らしたイベントで、ウクライナ文化を啓蒙する活動を日本各地で展開し、回を重ねるごとに充実したものになっている。さらに、日本の芸術文化を紹介する目的で手作りのウクライナ旅行を企画し、ウクライナ各地を訪問して文化交流を行う活動も続けている。これらの活動を様々なメディアを用いて広く情報発信を続け、今では日本におけるウクライナ文化交流の第一人者として確固たる地位を築いている。

こんなウクライナ通の小野氏によって執筆された本書には、時には緊迫した、時にはユーモラスなウクライナの息吹がところどころに感じられ、読者は日本から遠く離れた空間へと自然に引きずり込まれ、その未知の世界から抜け出せなくなる。不思議な空間の体験だ。

この不思議な空間が、小野氏の愛する魅力的なウクライナ文化と日本文化の交流ができる舞台なのだ。この舞台が平和で豊かな姿に一刻も早く戻りますように！　そうなるよう祈りながら本書を手に取っていただければ、本書出版の意義もさらに深まるに違いない。

目次

革命の中へ

２０１４年１月15日

これが革命なんだ。２０１３年12月、ウクライナの首都キエフの中心にあるマイダン（独立広場）に立ち、人びとに押されつつ思わず口から出た。

２００４年のオレンジ革命にはどこか和やかな雰囲気があったが、今回は違う。冷たく厳しい風が吹いてる。

大きな舞台を作り、昼夜問わず演説、歌が繰り返されている。ウクライナ人は自分たちの思い、怒りを歌にして訴える。ロシアに押さえつけられてきた歴史。そのなかで苦しんだ人びと。１９９１年に掴んだ独立。オレンジ革命。そして、このままだと再びロシアに従属しそうな現状……。

ＥＵをめざしていたウクライナ。ところが、ここにきてヤヌコーヴィチ大統領がロシアと手を結んだ。ウクライナはコサックの国。人びとは怒り、立ち上がった。「ウクライナ革命！」と盛んに叫び、ＥＵ入りを強く訴える。

マイダンをバリケードで封鎖し、ここでヤヌコーヴィチ大統領に対する抗議活動が行われている。砂袋に雪を詰めて積み上げ、水をかけて固めたバリケード。そのなかに１００万人が集い狼煙《のろし》を上げた。大阪で例えるなら、ＪＲ大阪駅前で、東は阪神百貨店、西は中央郵便局、南は丸ビルの一帯が人で埋め尽くされている。一眼レフカメラと小型ビデオカメラを持ち、その中へ入った。まさに革命の中へ。

零下５度なのにマイダンは熱気で満ちている。人びとの怒りは最高点に達しているのだ。

漁夫の利を狙うロシア

2014年2月1日

人びとのエネルギーは頂点に達していた。こんなウクライナを見たことがない。どのような弾圧にも負けず、粘り強く戦う。これがウクライナ人の本性なのだ。

マイダンはまさに戦場と化している。話し合いだけでは解決できないと判断した人びとは、銃をとり警察隊と激しく戦う。

多くの車が火を放たれ燃えている。積み上げられたタイヤが燃やされ、黒煙のバリアができている。暴徒化しそうな人びとを野党の代表クリチコは必死に抑え、ヤヌコーヴィチ大統領と話し合いを重ねる。クリチコはボクシングの元世界チャンピオンで、英雄的存在。

はじめ強気だった大統領も、ウクライナ全土に広がる反政府デモにひるみ、妥協案を出しだした。野党側に重要ポストを譲る、デモを取り締まる法律を緩める、デモで捕らえた人びとを解放する……。しかし、人びとはもうこの程度の妥協案では収まらなくなっている。あくまでも大統領を引き摺り下ろすまで抗議を続ける覚悟だ。

テレビ、新聞、ラジオも人びとを支持し、政権側の非人道的な蛮行を報道する。デモに参加していた男が警察隊に捕らえられ、摂氏マイナス10度の路上で全裸にされた。その動画がユーチューブで世界に流された。警察隊に叩きのめされて病院に担ぎ込まれた男が、何者かに連れ去られ行方不明に。その状況を克明に記したブログが広まる。インターネット上でも次々と革命が取り上げられている。

政権側に付いているのは、東ウクライナのドネック、南ウクライナのヘルソン、そしてクリミア半島だけになった。独立広場のことをウクライナ語で「マイダン」というが、人びとの間では「マイダン化する」という新しい動詞が誕生した。つまり、独立広場のように政権打倒の砦を作るという意味で、革命を鼓舞する言葉だ。

ロシアは虎視眈々とこの様子を眺めている。内戦に突入すると、そこに踏み込み、クリミア半島はじめロシアの息がかかっている都市を手に入れようとしているのだ。まさに漁夫の利を狙っている。

クリミア半島だけはロシア語

2014年2月15日

厳しい寒さがかえって人びとの心を燃え上がらせる。気温は摂氏0度だが、マイダンは闘志で満ちている。7万人がここに集まり、ヤヌコーヴィチ大統領への抗議の声を上げている。

その猛々しい様をカメラに収めようとして、首にかかっている一眼レフを構え、手袋をとってシャッターを押す。指が寒さで痺れる。手袋をはめて撮影すると、ぶれて上手く撮れない。10分もシャッターを押し続けると、指が動かなくなる。

そこに、セバストーポリにいる友人イゴルから電話がかかってきた。もう10年近く使っている旧式の携帯電話をとる。電話の向こうのイゴルの声はいつもと違って棘があった。

「今、あなたはマイダンにいるのですね。あなたたち日本人には分からないでしょうが、そこにいる連中は頭のおかしな奴ばかりです。ウクライナはロシアと仲良くしなければなりません。ヤヌコーヴィチ大統領は正しいです」

そう言い放って、イゴルは電話を切った。

軽い眩暈を覚えた。今の電話は何だったのだろう。普段は温厚なコンピュータプログラマーのイゴルが、あんなに厳しい言葉を無作法に投げつけるなんて。今、ここマイダンにいる人びととは正反対の意見を持っているウクライナ人がウクライナにいるとは。それも親しい友人の中に。

深呼吸して冷気を吸い込み、毛皮の帽子をとって、頭を冷やした。親ＥＵ派の西ウクライナと親ロシア派の東ウクライナの攻防ばかりを考えていた自分の浅はかさを自嘲した。クリミア半島は東ウクライナ以上に親ロシア派だったのだ。いや、ロシアだと言っても過言ではない。そのクリミア半島において、軍港のあるセバストーポリはまさにロシアそのものだ。そういえば、ウクライナのどこに行っても道路標識はウクライナ語だが、クリミア半島だけはロシア語だ。そんなことを考えながら、自分の頭の中を整理した。

友人のビクトルが私の前にやって来て、笑みを浮かべてこう言った。

「東ウクライナはもう我々のものだ。後はクリミアだけだ。それも時間の問題だ」

そう言うと、「スラーワ・ウクライーニ！（ウクライナに栄光を！）」と雄叫びを上げた。すると、隣にいた美女が「ヘローヤム・スラーワ！（英雄たちに栄光を！）」と続き、ウクライナの旗とＥＵの旗を力の限り振った。

革命の成功を祝う

2014年3月1日

ヤヌコーヴィチ大統領官邸に市民がどっと入っていった。おそらく千人を超える人だろう。カメラを携え、私もその群衆に紛れ込んだ。

豪華な庭、きらびやかな部屋――。「あいつは俺たちの金でこんな贅沢をしていたのか」と人びとは異口同音に怒りの声を発していた。庭にはダチョウまでいる。

「ヤヌコーヴィチは黄金の便器を使っている」と巷の噂を聞いていた私は、トイレを覗いた。確かに豪華な造りのトイレだったが、便器は黄金ではなかった。

あの威風堂々とした姿で「辞任は絶対にしない」と言っていたヤヌコーヴィチ大統領の姿はここにはない。ロシアへ亡命したのだろうか。

誰かが「ヤヌコーヴィチの飛行機が足止めされ、逃げられなかった」と騒ぎ出した。東ウクライナのドネツク空港からヤヌコーヴィチ大統領を乗せた航空機が飛び立とうとしたとき、国境警備隊が阻止したという。逃げるなんて、あの大きな身体の割に肝っ玉が小さい。何だか滑稽だった。ゴーゴリの『検察官』に登場する主人公フレスターコフの姿を思い浮かべた。

夜にはマイダンに約1万人が集い、革命の成功を祝った。そこにヤヌコーヴィチ大統領の政敵、ティモシェンコ元首相が車椅子姿で現れた。大統領選で敗れたティモシェンコ元首相は、職権乱用罪で実刑を受け、投獄された。ヤヌコーヴィチ政権が崩壊し、ようやく牢屋から出ることができた。娘や野党指導者らが見守るなか、ティモシェンコ元首相は力を振り絞って演説した。

「キエフがこんな姿に変わり果てたのは悲しい。でも、これがまさに産みの苦しみ。これからウクライナは本当の意味で生まれ変わる」

キエフは戦いで荒れ果てた。それと同じぐらいティモシェンコの姿は変わり果てていた。あの美しくて逞しいハンサム・ウーマンが……。

横にいた若い男が隣の女性に不平を言っていた。おそらく恋人同士だろう。

「ニーナ、せっかく成功したオレンジ革命を台なしにしたのはティモシェンコだぜ。ユーシェンコと仲違いして、ウクライナは身動きとれなくなったじゃないか」

青い目をしたニーナは男を見つめ、こう言い放った。

「彼女は昔の彼女ではないわ。ドストエフスキーもシベリアの牢屋の中で人間性を高め、文学を深めたじゃないの。ティモシェンコも牢屋の中で、大きな人間になったのよ。彼女が大統領になって欲しいわ」

反ロシアを訴え続けたシェフチェンコ

2014年3月15日

キエフの中心にあるマイダンは花で埋め尽くされている。「2月マイダン革命」で命を落とした100人近い同志を悼む人が後を絶たない。まだこれから輝かしい未来がある若者たちが、国の未来に命を懸けて戦い、そして散っていった。だが、その死は決して無駄に終わることはなかった。ヤヌコーヴィチ政権が崩れ落ちたのだから。

今日はマイダンに1万人もの人が集まった。ウクライナの国民的詩人タラス・シェフチェンコ生誕200年集会が開かれ、私もその仲間に入った。マイダンは人びとの異様な熱気で満ちていた。「プーチンよ、出ていけ」「ウクライナのことはウクライナ人で考える」「タラス・シェフチェンコ、万歳」など、腹の底からの声が飛び交っていた。

シェフチェンコが生きたのは、専制君主ニコライ1世の治世と重なっている。農奴出身のシェフチェンコは、最初は絵の才能が認められ、次に詩の才能が認められ、世に出る。47年という短い人生だったが、専制政治と農奴制のなかで苦しみ闘った。

苦悩の末に彼が下した結論は、ロシア語ではなくウクライナ語で詩を書き、ウクライナ人としてのアイデンティティーを示すことだった。まさにウクライナの魂を詩という表現方法で表し、人びとに訴えかけた。ウクライナ民族の運命に思いを馳せ、反ロシアを訴え続けたシェフチェンコはウクライナ独立のシンボルとなっている。

集会に一緒に参加した古老の歴史学者セルゲイは私に向かってこう言い放った。「今、ロシアは腕力でウクライナを押さえつけようとしている。何も今始まったことではない。シェフチェンコが生まれた200年前も同じだった。いや、もっと酷かった」

舞台を見ると、日本から来たシェフチェンコ研究者が立っている。自ら日本語に訳したシェフチェンコの詩を朗読すると、人びとは喜びの声を上げた。

セルゲイの妻ナタルカは歓喜し、「日本はやっぱりウクライナの味方だわ」と私の首に抱きついた。

クリミアの茶番劇

２０１４年4月1日

ロシア軍は我が物顔でクリミアに入り込み、ウクライナ軍を追いだした。小競り合いはあったものの、ウクライナ軍は大胆な攻撃に出ず、クリミアを後にした。

クリミアに住む友人のことが気になっていたときに、セバストーポリに住むマーシャから電話が入った。

「家族を連れて、クリミアから引き揚げてきたの」

その声は荒々しかった。

すぐに彼女とダーリニッツァ駅近くのカフェで会うことにした。

午後2時の約束で、私は5分前にカフェに着いた。20分ほど遅れてマーシャがカフェの扉を開けて入ってきた。右手を胸のあたりに持ってきて小さく指を曲げながら私の前に座った。彼女の挨拶はいつもこうだ。いつもと違うのは、穏やかな彼女を怒りのオーラが包んでいることだけだ。

レモンティーを注文するや否や、彼女の不満が噴き出した。

「ロシアのやり方は信じられないわ。力ずくでウクライナを押さえつけたのよ。耐えられないわ」

コーヒーをすすりながら、私はただただ黙って聞くしかなかった。

「友だちのなかにはロシアを歓迎し、ロシア国籍になることを喜んでいる人もいるわ。でも、私はイヤ。私はウクライナ人なのよ」

気を悪くするかなと思いながらも、聞いてみた。

「でも、住民投票で決まったのでは」

「茶番よ、茶番。娘と一緒にママが住むキエフに戻り、クリミアの茶番劇がよく分かったわ。すべてロシアが仕組んだのよ」

やはりそうだったのか。ウクライナ国内でもめているときに、ロシアがかねてから狙っていたクリミアを奪い取った。まさに漁夫の利だ。ロシアからすれば、ウクライナに貸していたクリミアを返してもらっただけという考えだが、21世紀の世の中で、国境を武力で変えるのは信じがたい。ウクライナにとって屈辱だ。いや、世界にとっても屈辱だ。しかし、ロシアはそんな世界の声を聞き入れようとしない。

そこにセバストーポリのイゴルから電話が入った。マーシャもよく知っているコンピュータプログラマーだ。

「クリミアは静かで安全です。ロシア軍が守ってくれているから……。僕はロシア人になり、そして金持ちになるんです」

電話口から漏れる声にマーシャは我慢できなくなり、私から携帯電話をもぎりとると、怒鳴った。

「裏切り者！」

2014年4月15日

革命の中での結婚式

暖かくなってきたので、キエフ大学の前にある公園を散歩することにした。

向こうからノッポのサーシャが歩いてきた。横には黒髪の美女がいる。近眼のサーシャは気づいていない。

声を張り上げて「サーシャ、久しぶり」と声をかけた。

サーシャは私に気づき、柄にもなく赤くなって「よう」と手を挙げた。黒髪の美女ははにかんで微笑んだ。

握手をするや否や、サーシャが切り出した。

「2人で君に会いに行くところだったんだ」

「それはちょうどよかった。今日はアパートで終日パソコンに向かって原稿を書く予定だったが、あまり外が気持ちよさそうだったので、散歩に出てきたんだ」

公園の中にある伝統的なウクライナ民家風のカフェに私たちは入った。私とサーシャはコーヒーを、彼女はミルクティーを注文した。

サーシャはもじもじしながら彼女の手を握り「僕たち結婚するんだ」と告げた。美女の真っ白い頬が薄紅色に染まった。

「おめでとう。よかったじゃないか」

私はごく単純に祝いの言葉をかけた。サーシャは続けた。

「革命の中で僕たちの心はしっかり結びついたんだ。アンナは共に戦った戦友なんだ。負傷した僕を親身になって看病してくれ……」

サーシャの言葉が終わらないうちにアンナが言葉を添えた。

「私をかばってくれたの」

2人は見つめ合って涙ぐんでいる。涙ぐみながらサーシャは続けた。

「家族だけで小さな結婚式を挙げるんだ。君にぜひ出席してほしい」

「ありがとう。もちろん、何を置いても出席するよ」

こちらまで温かい気持ちになった。と同時に、究極の状況で結びついたカップルはやがて離れるというジンクスが頭を過《よぎ》った。

ロシアの圧力に対して立ち上がった人びと

2014年5月1日

昨日飲んだサマゴン（自家製ウオツカ）がまだ残っている。目覚めたものの、頭が重い。キッチンへ行きお湯を沸かし、アールグレイを淹れる。好物のマリーナジャムを舐めながら熱いアールグレイをすする。

リビングへ移り、カップを持ったままソファーに腰掛け、テレビをつける。

ジュネーブでウクライナ、ロシア、米国、EUの代表が集って話し合っても、パスハ（復活祭）でキリル総主教が平和を祈っても、ウクライナ東部での争いは収まらない。やはり思った通りだ。こんなことでは、何も解決しない。こめかみを左親指で押さえながら、テレビを眺める。

ウクライナ東部ドネツクの様子が放映されている。ロシアの圧力に対して立ち上がった人びとの集会。青と黄色のウクライナ国旗があちこちで翻っている。

「ウクライナ万歳」と叫ぶ若者のなかにビクトルがいる。目が釘付けになった。ビクトルはキエフ大学で日本語を学び、通訳となった好青年だ。キエフにいるとばかり思っていたが、故郷ドネツクに帰っていたのだ。彼がキエフ大学在学中は、よくカフェでウクライナの将来について語り合ったものだ。

　私は無性にビクトルに会いたくなった。故郷に帰ってウクライナの将来のために立ち上がったのだ。何もできないかもしれないが、何か手伝いたい。

　そう思うと居ても立っても居られず、すぐに身支度して、キエフ中央駅へ向かった。ドネツク行きの電車までまだたっぷり時間があるので、キオスクで数種類の新聞を購入し、構内にあるカフェで読むことにした。

　出発時刻がやってきたので、電車に乗り込み、ドネツクへ。ドネツクへ着き、中心に向かった。その途中、賑やかな行進に出合う。太鼓とラッパの音楽に合わせて歌いながら、大勢で行進している。

「プーチン、フイロ！　ラララ、ララララ……」

思わず噴き出した。フイロとは男の一物のことだ。ウクライナ人はまだユーモアを忘れてはいない。懐の深さを思った。

　中心部の広場へ行くと、ウクライナ国旗を持った人びとで賑わっていた。ほどなくして、背が高く青い目をしたビクトルを見付け、駆け寄った。ビクトルはたいそう驚いたような表情で「来てくれたのですね！」と喜びの声を上げた。

私たちはハグと握手を繰り返し、再会を喜びあった。

「ずいぶん集まっているね」

ビクトルは笑顔で答えた。

「ロシアから送りこまれた奴らを押し戻さないとね」

やはりロシアの軍人がたくさん入り込み、ウクライナ東部を第2のクリミアにしようとしているのだ。

続けてビクトルは言った。

「奴らは1日500ドルで雇われているのです」

お金に動かされてウクライナに混乱をもたらす人たちがいるのだと、腹立たしいような寂しいような心持ちになった。

デルニーをほおばる

2014年5月15日

「起きたかい」

目覚めてぼんやりしていると、ビクトルがコーヒーを持ってきてくれた。

ドネツクの外れにあるマンションの一室。周りは至って静かだ。

簡単な礼を述べ、コーヒーをすする。ビクトルが淹れるコーヒーは相変わらず濃い。目が覚めた。

キッチンからレーナの声がした。

「朝食ができたわ」

ダイニングキッチンへ行くと、出来立てのデルニーが大皿に盛り付けられている。美味しそうな香りだ。

レーナの作るデルニーは格別だ。じゃがいもを擦り下ろして卵を混ぜ揚げるだけなのに、レーナが作ると特別な味わいのデルニーになる。ペロリと5枚平らげた。

残りのコーヒーをすすり、あと1枚かじった。

「レーナ、いい奥さんになったね」

レーナは少しはにかんで「ありがとう」と笑みを浮かべた。

カーチャが起きてきた。1歳になったばかりのチャーミングな女の子。ヨチヨチ歩きでレーナの足下までくると、レーナはカーチャを抱きかかえ、ほっぺたにキスした。赤ちゃん言葉でミルク粥が出来たことを伝え、子ども用の椅子に座らせた。

「カーチャ、おはよう」

私も赤ちゃん言葉でカーチャの目を覗きこんだ。カーチャは恥ずかしそうに指を噛んだ。

レーナにふうふうしてもらいながらミルク粥を食べるカーチャのあどけない表情を見ていると、ほっこりした心持ちになってきた。同時に、どうして人間は争うのだろうと素朴な疑問が湧いてきた。人間だけではない。動物はすべて争う。弱肉強食の世界だと自分に言い聞かせた。

そのとき、遠くで発砲音が聞こえた。ビクトルの顔が父親から男にすっと変わった。

「行こう」

そう言うと、玄関に向かった。食べかけのデルニーをほおばり、私はビクトルの後に続いた。

命がけでロシアと戦う

２０１４年６月１日

ビクトルと一緒にエレベーターに乗った。もう慣れたが、ガタガタのエレベーターで、いつ止まるのか分からない。錆びた金属の擦れ合う音が耳に響く。１階に着くや否や、発砲音の方へ向かって走る。ビクトルの大股に追い付くのは大変だ。

また、発砲音が響いた。ビクトルが振り返って、「ロシアに与《くみ》する奴らだ」と吐き捨てた。

銃声と同時に鈍い音がした。誰かが撃たれた。

近くで人が撃たれたかと思うと、急に恐ろしくなり、足が震えた。撃ち合う音が聞こえるなかで、冷静に考えられなくなっていた。ビクトルの後を追うだけで精一杯だ。

建物の陰に天然パーマの青年が倒れている。ビクトルが駆け寄り、大声で叫んだ。

「サーシャ！」

ビクトルはサーシャの亡き骸を抱きかかえ、歯を食いしばりながら泣き叫んだ。私も会ったことのあるビクトルの朋友だ。

その場に立ちすくんで２人の姿をただただ眺めるしかできない自分が歯がゆい。

ビクトルとサーシャは同じキエフ大学で日本語を学んだ同級生で、切磋琢磨した仲だった。今、この現実を目の前にして、ビクトルのロシアに対する憎悪が頂点に達した。

「絶対にこの恨みを忘れることはない。サーシャの分まで、命がけでロシアと戦う」

普段は温厚なビクトル。そのビクトルの口からこんな言葉が出るとは夢にも思わなかった。目の前で起こっている現実を現実として受け容れられず、ぼんやり眺めていた。そのとき、頭の中の記憶装置が過去へとタイムスリップした。

1年前、ウクライナでは兵役義務がストップした。3年前、プーチンが「ウクライナにファシズムが台頭しつつある」と声を荒げていた。3年前から、いやもっと前から今のこの現実をロシアは虎視眈々と狙っていたのか。その頃、私たちはこんな現実が待っているとは考えていなかった。

来週は大統領選挙だ。

ポロシェンコが大統領に

2014年6月15日

5月25日、大統領選挙の日。

ドネツクは異様な静けさだ。426ヵ所ある投票所がほぼ全て親ロシア派武装集団に閉鎖されて、投票できない状況だ。

ビクトルは嘆いた。

「これが民主主義の国か。投票所に出向いてポロシェンコに一票投じたい」

立候補者は、チョコレート王のペトロ・ポロシェンコ、元首相のユーリヤ・ティモシェンコ、地域党の元幹部セルヒー・ティヒプコ、ハリキウ市長およびハルキウ州知事を歴任したミハイロ・ドブキン、右派セクターの統率者ドミトリー・ヤロシ。
キエフにいるサーシャに電話をした。

「サーシャ、キエフはどうだい。ドネツクは静まり返っているんだ」

電話の向こうは祭りのように騒がしかった。

「こっちはすごいぜ。投票所に人が押し掛けて、ごった返っている。皆、ポロシェンコ、ポロシェンコと歓喜の声を上げている。僕もたった今投票したばかりだよ。もちろん、アンナと一緒にポロシェンコに投じたよ」

「アンナも元気かい」

「うん、ありがとう。元気だよ。西ウクライナも選挙で沸いているよ」

ビクトルは、携帯電話から漏れる人びとの明るい声を聞きながら満足そうにしている。

電話を切るや否や、「キエフはすごいことになっているよ」と言うと、

「そうか、それはよかった。ここドネツク州とルガンスク州はゴロツキ連中に押さえつけられてまともな選挙ができないが、キエフでは盛り上がっているんだな」

と上機嫌になった。

「西ウクライナもまともな選挙が行われている」

そう付け加えると、ビクトルは安心した表情になった。

程なくして、サーシャからの電話が鳴った。

「ポロシェンコが圧勝した。決選投票はない。新しい大統領が誕生したんだ」

停戦を呼びかけるポロシェンコ

２０１４年７月１日

ポロシェンコ大統領の初仕事は東部の鎮圧だ。すぐに押さえ込めると思っていたが、計算通りにはいかない。政府軍と親ロシア派の武装集団との戦闘は日増しに激しくなる。

ドネツク空港から10キロ程離れているが、ビクトルのマンションまで発砲音が鳴り響く。発砲音を聞くたびに恐怖と怒りで心が固くなる。1歳になったばかりのカーチャは泣きやまない。レーナがだっこしてあやすが、収まらない。大人でも怖いのだから、赤子にとっては耐えられないのだろう。

電話やらメールやらでビクトルのところには次々と今現在の情報が入ってくる。親ロシア派を押さえこんだと思い安心していると、ウクライナ軍のヘリコプターが撃ち落とされた。ヘリコプターを撃墜できる武器はロシアからのものだ。プロ仕様だ。日ごと、死者が増え続けている。ウクライナ軍の間にも親ロシア派の間にも。出口の見えないまさに「戦争」へと入ってしまった。

ロシアは強気の姿勢で、たまった天然ガス代の請求をウクライナに迫る。払わないとガスの元栓を閉めると脅す。これからは先払いでないと、天然ガスをウクライナへ送らないと畳みかけるロシア。天然ガスの価格を上げ、ウクライナに揺さぶりをかける。プーチンはウクライナの出方をしたたかに見ている。

ロシア抜きで開かれた主要国（Ｇ７）首脳会議の翌日、ノルマンディー上陸作戦70年を記念する式典でポロシェンコはプーチンと顔を合わせた。48歳のポロシェンコ、61歳のプーチン。ドイツのメルケル首相が間に入り、２人は言葉を交わした。

その翌日、6月7日ポロシェンコは大統領に就任した。就任演説では、ウクライナ東部の親ロシア派に停戦を呼びかけた。1日も早く停戦し、これ以上の流血を防ぐ思いを述べた。プーチンも同意し、ロシアのメディアで発表した。

子ども向けの童話なら、ここでポロシェンコとプーチンは握手し、ウクライナとロシアは仲直りしたとなるが、現実の世界では難しい。

ビクトルが読んでいた新聞を握りしめながら言った。

「一旦ロシアは手を引くと見せかけて、どんどん軍隊やら武器やらをウクライナに持ちこんでいる。うそつきめ」

そのとき、玄関のベルが鳴った。レーナがドアを開けると隣の家族が荷物を持って立っていた。まだ40歳を過ぎたばかりだというのに、疲れきった老人のような表情の隣人が頭を下げた。

「お世話になりました。家族の安全を考えるとここにはおれないので、キエフに住んでいる親戚のところに行くことにしました」

妻と小学生の息子は「ありがとうございました。さようなら」とだけ力なく言うと、男の後に付いていった。

攻撃を止めないロシア人

2014年7月15日

ポロシェンコ大統領が和平計画を示した。親ロシア派武装勢力の武力制圧作戦を10日間停止。人質解放や武装解除を条件に、親ロシア派戦闘員の刑事責任免除やロシアから来た戦闘員の帰還保証など、かなり譲歩したものだ。

しかし、そんな呼びかけに応じるような輩ではない。まったく無視して攻撃を続ける。

ビクトルはこぼした。

「これ以上ここにはおれない。女房と子どもを連れて、キエフの親戚のところへ行く。君も一緒に行こう」

ここに留まる必要もなく、私はすぐさま応じた。

レーナは引っ越し準備を始めた。引っ越しといっても、身の回りのものを持って行くだけ。一刻を争う状況だ。

私たちはバス停へ向かった。

バス停は人でごった返していた。皆、ドネツク脱出者だ。「これはウクライナとロシアの戦争だ」とあちらからもこちらからも聞こえてくる。

バスはすぐにいっぱいになり、待ちに待った。どの人の顔にも苛立ちと焦りの色が浮かんでいる。ようやく私たちの順番が回ってきて、バスに乗り込んだ。バスの中の埃と汗の臭いが鼻をついた。席が埋まると、何の合図もなく突然出発した。

窓から見えるドネツクの風景はひどい。これが戦場でなくて、何であろう。前の席でラジオを聞いていた老人が、振り向いて言った。

「停戦中止だ。期日がきてもロシア人が攻撃を止めないので、大統領は攻撃再開命令を出した」

ビクトルは、やはりこうなってしまったかという表情で腕を組んだ。そして、レーナとカーチャをきつく抱き寄せた。

「これから、ウクライナ軍は本格的な戦闘を開始する。ドネツクを脱出してよかった。家族全員であの世へ行くところだった」

そう言うと、ビクトルはどんよりと曇った空をぼんやり眺めていた。

ボーイング777が撃ち落とされる

2014年8月1日

久しぶりに自分の部屋に帰ってきた。キエフはドネツクとは違い、落ち着いている。シャワーを浴びさっぱりしたところで、ビールを飲む。もちろん、濾過していない濁りビール。これに限る。ペットボトルに入った濃い色のビールをグラスに注ぐ。この音がたまらない。いっぱいになるや否や、グラスに口を持っていき、すする。ソファーにもたれ、「うまいな、このビールは」と誰もいないのに、大きな声を上げる。

無造作にテレビのリモコンを押す。テレビ画面に信じられない映像が映し出された。草原に横たわる人、人、人。死んでいる。バラバラに砕けた航空機の破片。開いて中身がむき出しになったスーツケース。荒っぽく死体を運ぶ男たち。

これはただごとではない。

アナウンサーの説明に耳を傾けると、アムステルダム発クアラルンプール行きマレーシア航空の旅客機ボーイング777が親ロシア派に撃ち落とされたという。乗客・乗員298人、全員死亡。

次々に映し出される映像を食い入るように見る。ビールを飲むのも忘れて、アナウンサーの言葉を一言一句聞きもらさないようにテレビにかぶりつく。

ドネツク上空を飛ぶ航空機を地対空ミサイルで撃墜。明らかに親ロシア派ひいてはロシアの手によるものだ。

ノートパソコンを開き、インターネットに入ると、この話題で書き込みがパンクしそうなほどだ。マレーシア航空の航空機は3月に南シナ海上空で行方不明になったばかりだ。どうしてマレーシア航空ばかりなのだろうか。陰謀なのか。ただの偶然なのか。

世界中がロシアに抗議し睨みつけている。民間人を巻き込むなんて、常軌を逸している。撃墜された航空機には子どもも乗っていた。その一人一人の命を一瞬にして奪い取ったテロリスト。乗客にはエイズ研究者もおり、今後のエイズ研究の進展に影響が出てくるだろう、とアナウンサーの口調は強くなる。

インターネットでロシアのサイトを見ると、「これはウクライナの仕業」と捏造ニュースを流し続けている。馬鹿げている。どう考えても、そんなことはない。憤り、ビールを飲み干した。またグラスに注ぎ、一気に飲み干した。

テレビから流れる映像を見ているうちに、悲しい心持ちになってきた。

人間はいつまで経っても賢くならない。どれだけ殺し合いをすれば、納得いくのだろうか。

ロシアに騙される

2014年8月15日

「ロシアに一杯食わされた」

電話を取ると、挨拶もなしにものすごい剣幕で話し始めた。

「イゴル、どうしたんだ」

「給料が倍になるとか何とか言われて、僕たちはクリミアがロシアになったことを喜んでいたんだ」

電話はクリミアの大学で化学を教えているイゴルからだ。

「いつも冷静な君が珍しいな」

「こんなときに冷静にいられるわけない。大学が閉鎖された。うちの大学だけなく、次々と閉鎖されている」

「それは悪い冗談か」

「冗談に聞こえるか。現実だよ、現実。まだ小さい子どもがいるのに、これからどうやって食べていけばいいんだ。オクサーナもカンカンに怒っている」

美人で控え目な奥さんが怒っている顔を想像できない。

「それよりも、その前に腹立たしいことがあったんだ」

「どんなことだい」

「喜んでロシアのパスポートをもらうと、何と登録地がクリミアではなく、シベリアになっているんだ」

どういうことか理解できずに、黙っていると、

「僕たちはクリミアにいるけれど、クリミアの住民ではないってことだ。シベリアの住民として登録されているんだ。過去にタタール人が強制移住させられたように、僕たちもシベリアへ連れていかれる運命なのかもしれない。シベリア送りだ……」

イゴルは電話の向こうで涙ぐんでいる。

「君だけかい」

「皆だよ。僕たちはロシアに騙されたんだ。甘い果実を見せられて、喜んで齧ってみると、腐った肉だった。自分自身が情けない」

「やはりそうだったのか」

「そう言えば、ロシアには気をつけろとアドバイスしてくれていたね。聞く耳をもたず、尻尾をふってロシアになびいた自分が恥ずかしい」

胸に溜まっていたものを吐き出すと、すっきりしたのか、「じゃ」と言ってあっけなく電話を切った。

独立記念日でも戦闘激しさ増す

2014年9月1日

8月24日、キエフでは独立記念日の式典が行われた。フレシチャーティク通りはお祭り騒ぎ。凛々しい軍人による行進や戦車を見ながら市民は青色と黄色のウクライナ国旗を振っている。ウクライナ人は国旗が好きだ。自らのアイデンティティーを誇示しているのだろう。

ウクライナがソ連から独立したのは１９９１年8月24日。その後、12月25日にソ連が崩壊した。70年間のソ連のくびきから解放された。散々いじめられたソ連（ロシア）からようやく逃れることができたのだ。我々はヨーロッパの仲間に入る。たとえヨーロッパがユートピアでないとしても、ロシアよりはましだ。ウクライナにはそんな空気で満ち満ちていた。

オレンジ革命を経て、ようやくヨーロッパの仲間入りをしようとしていた矢先、ヤヌコーヴィチ元大統領がロシアに寝返った。それに反発した学生たちが昨年（２０１３年）の11月に抗議を始めた。

これが表向きの動きだが、裏の動きもある。

思い返せば、昨秋若いビジネスマンのニコライが嘆いていた。30歳そこそこなのに、新しいインターネットビジネスで売り上げを順調に伸ばしている。

「僕のところにもヤヌコーヴィチの息子から手紙が来た」

「どんな内容なのだ」

「会社を買い取るから寄こせ、と。買い取るなんて綺麗な言葉を並べているが、二束三文で差し出せという脅迫文だ」

「断わるとどうなるの」

「血祭りだよ」

そう言って苦笑した。

ニコライのような若いビジネスマンがどうにも我慢ならなくなって、抗議活動を始めた。学生たちがこれに合流したのだ。

ヤヌコーヴィチ元大統領に対する抗議活動だったのに、ロシアとの戦争になるなんて、若いビジネスマンたちも学生たちも夢想だにしなかった。今、まさに東ウクライナではロシアによる侵略戦争が繰り広げられている。しかし、これを「戦争」だと世界は認められない。認めると、まさに全面戦争になる恐れがあるからだ。

キエフで独立記念日の式典が行われている最中も、東部のドネツク、ルガンスクでは戦闘が激しさを増している。

授業中に停電

２０１４年９月15日

ウクライナ政府軍と親ロシア派武装勢力の停戦が発効した。その後も小競り合いは続いているが、概ね静まった。

東ウクライナのドネツク、ルガンスクの戦禍は目を覆いたくなるほど酷い。この地方の石炭を用いた火力発電がウクライナの電力供給の大半を占めているが、この状態だと、石炭が採れない。ロシアからのガスが制限されている今、必然的にエネルギーは電気に頼らざるを得ない。

「戦争」がいったん落ち着いたので、キエフの中心地にあるお気に入りのカフェへ行った。ベランダに腰掛け、コーヒーを注文し、タブレットを取り出してインターネットに接続した。キエフではどこでもＷｉ－Ｆｉがつながるのがいい。

運ばれてきたコーヒーをすすりながら、ニュースのサイトを開き、今自分がどんな状況に置かれているかを把握する。

そこに、キエフ大学2回生のアンナが通りかかった。金髪のチャーミングな彼女は、経済を専攻している。声をかけると、顔を輝かせ小鹿のように駆け寄ってきた。

「一緒にコーヒーでもどう」と誘うと、「ありがとう。嬉しいわ」と言って、私の前に礼儀正しく腰かけた。

彼女はいつ見てもエレガントだ。まだ少女のような表情を残しつつ、大人の女性の色気を獲得し始めている。

「久しぶりに会えて嬉しいよ。元気にしていたかい」

「私も嬉しいわ。ここ数ヵ月大変だったわ。やっと落ち着いたみたい」

「油断ならないよ。ソ連ができる前、ウクライナ民族主義者たちはボリシェビキと4年間も戦ったんだからね」

「そうなの。私が生まれたときは、もうソ連はなくなっていたわ」

「若いね。ジェネレーションの違いを感じるよ」

「それよりも、今日大学へ行くと、これから授業中に停電があるというの」

「ずっとかい」

「まずは、朝晩だけ停電になると先生が説明してくれたわ」

「大学だけかい」

「いいえ。友だちのマリアが言うのには、地域ごとに朝晩1、2時間停電になるの。それでも電力が足らなければ、キエフが一斉に停電になると言うの。それでも足りなければ、ウクライナ全土が一斉停電ということにもなりかねないの」

頷いて聞いてると、アンナがもっと恐ろしい噂話を教えてくれた。

「今でも、クリミアの電気の8割はウクライナ本土から送られているの。ウクライナ政府はクリミアへの電気を止めるらしいの。そうなると、またロシアが攻めてくるわ」

日本に戻れないケルチのナスチャ

２０１４年10月1日

パソコンの前に座っていると、スカイプの着信音が鳴った。大阪に住む大学の後輩、井村武君からだ。こちらが夕方なので、日本は夜中だ。ウクライナと日本の時差は6時間。

マイク付きヘッドフォンを付けるや否や、井村君の甲高い声がヘッドフォンに響いた。

「先輩、やっとナスチャさんが日本に戻ってきましたよ」

「クリミアのナスチャさんかい」

ブロンドで青い目の可憐なナスチャの顔を思い浮かべた。25歳のときモデルとして来日し、自動車販売店のオーナーに見初められ、すぐに結婚。結婚式は阪急インターナショナルホテルで行われ、３００人以上が集まり、派手な演出だった。その豪華さに招待者は異口同音に「芸能人のような披露宴だわね」と話していた。

色とりどりの照明の中で浮かび上がったナスチャの姿は、まるで天女のように美しかった。還暦前の新郎が彼女の美しさを引き立てた。

招待者の中には、「こんな年の差の結婚はかわいそうだわ」と憐れむ者もいれば、「あれだけの財産持ちと結婚した彼女は一生安泰だわ」と羨む者もいた。同じものを見ても、置かれている立場で感じ方が違う。

井村君が続けた。

「そうです。ケルチのナスチャさんです。昨年末に里帰りしたようですが、ロシアがクリミアを電撃的に併合したので、日本に戻ってこれなくなったんです」

「それは大変だったたね。無事に日本に着けてよかった」

「ウクライナには未来がないって、ナスチャさんは泣いていました。停電や断水はしょっちゅうあるようです。何日も店頭に食料品がないことも。飛行機もずっと飛んでいなかったようです。ようやく飛行機が飛び始めたので、日本に戻れたんです」

「パスポートはロシアのものに変えたのかい」

「それが、ウクライナのパスポートのままなんです。ロシアのことが大嫌いなんです」

クリミアの住民のパスポートは全てロシアのものに変えられたと伝え聞いていたが、このような例もあるのかと驚いた。

「ケルチからバスと船を乗り継ぎ、ロシアに入ってからモスクワ経由で日本に戻ってきました」

「ウクライナのパスポートで、モスクワでよく無事だったたね」

「なにせ彼女は女優ですから」

2014年10月15日

ロシアでもウクライナ侵攻反対デモ

ウクライナとロシアの停戦から1ヵ月が過ぎた。しかし、ウクライナ東部では、まだ小競り合いが続いている。

ロシア語のブラッシュアップのためにモスクワ短期留学中の友人、佐藤優子からフェイスブックのメールが届いた。

「ロシアでもウクライナ侵攻反対デモが起こっています。しかし、それに対する圧力はひどいものです」

彼女は神戸でロシア雑貨店を経営している。時折、自らロシアに買い付けに行く。今回は、昨年11月から続くウクライナ問題をロシア側から見たいと思い、2ヵ月のロシア語研修に参加することにした。心の広い夫が「優子、僕が子ども2人と店の面倒をみるから、行っておいで」と言ってくれたので、今回のモスクワ行きが実現した。

良妻賢母の佐藤優子の顔を思い浮かべながら、スカイプで電話した。

数回の発信音の後、彼女の艶っぽい声がヘッドホンに響いた。

「スカイプで電話をくれるなんて、嬉しいわ。ウクライナは大丈夫?」

「キエフは落ち着いているよ」

「よかったわ」

「ロシアで国を批判するデモが起こっているんだね」

「そうなの。若い人が叫びながら練り歩いているのよ。でも、警察の取り締まりがきついわ」

「プーチンのやりそうなことだね」

「アクーニンも反対運動をしているのよ」

「人気作家も立ち上がったんだね」

日本びいきで、「悪人」から自分のペンネームをアクーニンとしたユニークな人物だ。

「そう。ブログやフェイスブックで自国批判をしているの。目を閉じ、耳を塞いで、ウクライナとロシアの間で何が起こっているのかを知ろうとせず、プーチンを盲信している人びとに警鐘を鳴らしているの」

「ロシアのなかにも、まともな人間がいたんだね。なんだか救われたような気持ちだよ」

秋の風が窓ガラスを叩いて、ガタガタ鳴った。

２０１４年11月１日

西ウクライナの底力

10月26日、総選挙が実施された。ポロシェンコ大統領が政治基盤を拡大するためだ。

翌日、選挙後について新聞記者の友人アレクセイに聞こうと、マイダンのカフェへ行った。約束の午後3時より30分ほど早く着いたので、ホットコーヒーを頼んで待つことにした。

隣の席で、若いカップルが政治について語り合っている。

「やっぱりポロシェンコ大統領とヤツェニュク首相が圧勝したわね。これでポロシェンコ大統領のポロシェンコ・ブロックとヤツェニュク首相の国民戦線が連立し、一気にEU入りだわね」

「そうだね。しかし、ドネツクとルガンスクの半分以上の地域で選挙ができなかった事実は悲しむべきことだ」

「東部は仕方ないわ。国が2つに分裂したのは悲しいけれど、東部と一緒になるのは無理なのよ。親ロ派が11月2日に独自の選挙を計画しているって言うじゃない」

「諦めるのは、まだ早いよ。総選挙で親ロシアの勢力が少数派になったので、これからが正念場。一気にモスクワ野郎を東部から追い出すときだ。独自の選挙なんか論外だよ」

「すんなりとロシアが手を引くかしら」

「今こそウクライナ魂を見せつけてやる時だ。東部の次はクリミア……」

「いくらなんでもクリミアは無理だわ。もうロシアになってしまったんだから。今回の総選挙など、どこ吹く風よ」

「そんなことはない。クリミアを取り戻すチャンスはまだあるよ」

「そうかしら」

そう言って、彼女は長いまつ毛を伏せてカップに手をもっていった。

そこにアレクセイが入ってきた。座るなり、勢いよく話し始めた。

「ポロシェンコ・ブロック、国民戦線に続いてリヴィウのサドビー市長が率いる自助党が伸びている」

「西ウクライナの底力だね」

「事前の世論調査で2位だったリャシコの急進党とティモシェンコ元首相の祖国は伸び悩んでいる。

選挙は怖い。やってみないと分からない」

「リシャコもティモシェンコもNATO加盟を急ぎすぎて、国民が引いてしまったんだね」

「そういうことになる。これからポロシェンコ大統領は慌てずにじっくりと社会の安定を図り、経済を立て直すことから始めないといけない」

「EU入りも焦ってはいけないね」

東ウクライナの戦闘は地獄

２０１４年11月15日

アレクセイに連れられて、キエフ郊外の公園にやってきた。車の中で、彼は運転しながらこう言った。

「東ウクライナからの帰還兵に会わせてあげるよ。インタビューするので、横で静かに見ていてね」

公園のベンチで座っていると、向こうから眼光の鋭い青年が歩いてきた。頭は丸刈りだ。

アレクセイが立ち上がって、握手を求めた。

「アンドリー、よく来てくれたね」

「君の頼みなら、喜んで。そちらは」

「友人だよ」

アンドリーは私に握手を求めた。私は応じた。ごつごつした手に驚きといささかの恐怖を感じた。

アレクセイが口火を切った。

「早速だが、東ウクライナの戦闘はどうだった」

「地獄だ。ロシア人は一線を越えてしまった。我々はもう許さない」

そう言って、ジャンパーのポケットから何かを取り出して見せた。

アレクセイも私もぎょっとした。耳だ。紐に通された耳が4つ。アンドリーは続けた。

「これがロシア人に対する我々の答えだ。我々はロシアに攻め込んでいない。ロシアが我々の土地に踏み込んできて、ウクライナ人を残虐な方法で殺しているんだ。親友は、目をえぐり取られ、右手と右足を切り落とされたんだ。許せるか」

私が震えていると、アンドリーはさらに加えた。

「ロシア人のことをもう人間とは思っていない。鬼畜だ。だから殺せるんだよ。俺は人殺しはしていない。戦場で戦っているだけだ」

気を取り直して、アレクセイが質問した。

「ドネツクとルガンスクで独自の選挙が行われ、ロシアの後ろ盾でウクライナから離れようとしているが、どう思う」

「あの地域の奴らはウクライナ人ではない。ロシア人だ。もう必要ない。クリミアに続いて、あの地域がウクライナから離れたお陰で本当のウクライナが誕生したんだ」

「本当のウクライナとは」

「ウクライナが一つになった。昨年の11月までは、富んだ人と貧しい人、成功した人と失敗した人、若い人と老いた人がばらばらに暮らしていた。今ではそんな違いは関係がなくなり、手を取り合っている」

先日のポロシェンコ大統領の演説が耳によみがえった。

「プーチンよ、ありがとう。ウクライナを一つの国にしてくれて」

皮肉たっぷりの演説をプーチン大統領はどのような顔で聞いていることだろう。そんなことをぼんやり考えた。

遺影が並ぶマイダン

２０１４年12月１日

革命から1年が過ぎた。昨年11月、ヤヌコーヴィチ元大統領がＥＵ入りを諦め、ロシアと再び手をつないだ。若者たちは立ち上がり、反対した。ここで路線を戻せば、今のような泥沼化には陥らなかった。

国内でもめているところにロシアがつけ込み、クリミアを分捕ってしまった。勢い付いたロシアは、クリミアの次に東ウクライナに攻め入った。

ウクライナに住む誰もがこんなことになるなんて考えもしなかったし、ましてや望みもしなかった。

11月21日の夜、キエフの中心にあるマイダンでこの1年を振り返る集会があると聞き、向かった。マイダンは人でごった返していた。1万人はいるだろう。遺影がずらりと並んでいる。亡くなった人を偲び、すすり泣く声があちらこちらで聞こえる。

その中に、手を合わせて静かに祈っているアンナを見つけた。彼女はほっそりとした美人。私が密かに憧れていた人だ。鮮やかな絵を描く画家として画壇で認められつつある。もう2、3年会っていないが、美術雑誌では時々見ていた。

アンナの横顔は寂しげで頬がこけていた。彼女の前には遺影がある。覗いてみると、弟のボクダンだ。釣りが好きで、私を時折誘ってくれた。

私が近付いたのも気付かずに、アンナは熱心に祈っている。私も横にしゃがみ、手を合わせてボクダンの冥福を祈った。

しばらくして、アンナが私に気付いた。

「一緒に手を合わせてくれていたのね。気付かずに、ごめんなさい」

「いいんだよ。久しぶりだね。ボクダン、亡くなったんだね」

「そうなの。今年の初め、マイダンで亡くなったの。革命を何としても成功させなければならないと意気込んで、出ていったわ。それが最後……」

「戦死したんだね」

「そうなの。こん棒で殴られるからって、手と足に雑誌をぐるぐる巻いて、その上からジャンパーを着て出ていったわ」

「殴られて死んだのかい」

「殴られた跡はたくさんあったけれど、それでは死ななかったわ。銃殺されたのよ。何発も撃たれたの」

言葉が出なかった。何発も撃たれて無残な死を遂げた弟を葬ったアンナ。その気持ちを考えると、胸が詰まった。

アンナの大きな瞳から涙が一粒こぼれた。私がハンカチで涙をぬぐうと、アンナの瞳に熱い涙があふれ、止まらなくなった。

「辛かったんだね。1人でその苦しみに耐えていたんだね」

泣きながらアンナは話した。

「2年前、父と母を立て続けに亡くし、弟と2人で力を合わせて暮らしていたの」

私は力強くアンナを抱きしめた。

弟を偲んで悲しむアンナ

2014年12月15日

マイダンを後にし、アンナと坂道を上りながらボクダンのことを話した。タートルネックのセーターがよく似合う茶色の瞳をした青年だった。姉のことが大好きで、友人に会うと、「アンナの絵がいよいよ画壇で認めらたんだ」と自慢していた。私もそんな自慢話を時折聞いた。ボクダンの自慢話は嫌味がなく、聞いていて心地よかった。一般的に自慢話を聞かされると、嫌な気分になるものだが、ボクダンの場合は不思議と違った。それは、彼の人間性によるものだろう。邪心、我田引水の考えを持っておらず、ただただ嬉しくて人に伝えたいといったものだ。

釣りが好きで、アンナもよく誘われたようだ。餌を付けるのが気持ち悪く、アンナはボクダンに何から何まで手伝ってもらい、ただ糸を垂らすだけだった。それでも、時折大きな魚がかかり、グイグイ上げる。「姉さん、もっとゆっくり、ゆっくり」と気を揉むボクダンの姿を思い出しては、涙を浮かべるアンナ。

ゆっくりと坂を上ると、聖ソフィア大聖堂が見えてきた。

「うちに寄って。アールグレイを淹れるわ」と小さく微笑んだ。作り笑顔が不自然で、泣きたくなった。

「ありがとう」とぎこちなく応えた。

アンナのアパートは、キエフが誇る黄金の門の真ん前にある。古びた建物のドアに不釣り合いな電子ロックが目立つ。アンナがボタンを4つ押すと、カギが外れた。重い扉を引き、首を傾けて、私を中に誘った。

3階まで階段を上ると、「ここよ」と言ってポケットからカギを出して扉を開けた。

私は緊張してカチコチになっている。密かに憧れていたアンナの部屋に自分は入ろうとしている。そう考えただけで、夢のようだ。心の片隅に破廉恥な考えが芽生え、自己嫌悪に陥る。アンナが弟を偲んで悲しんでいるときに、自分は何てはしたないことを考えているのだろうか。

扉の向こうには短い廊下があり、さらに扉が3つある。

一番奥の扉まで行くと、アンナはカギを開けた。玄関には大きな絵が数枚立てかけられている。

キエフで開いたAU展

2015年1月15日

玄関に立てかけられている絵はどれも色鮮やかで、今のアンナの心情とは対照的だ。彼女は元来明るく快活な女性で、ウクライナの太陽ともいうべき存在だ。人間は等しく弱く、アンナも例外ではない。かけがえのない肉親である弟ボクダンを失い、失意のうちに立ち上がれないほどの悲しみに飲みこまれている。

「きれいな絵だね。アンナの絵を見ていると、救われたような気持ちになるよ」

擦り切れたコートを脱ぎながら、取ってつけたような言葉をかけた。

「ありがとう。でも、もうこんな絵は描けないわ」

ミンクのコートを脱ぎながら、アンナは寂しい笑みを浮かべた。

「すぐにアールグレイを淹れるわね。どうぞ座って」

居間に通された。大きな書棚には、芸術書がぎっしり詰まっている。アバンギャルドの画集のなかに嶋本昭三の本がある。手に取り、ペラペラめくっていると、嶋本昭三とアンナの写真が数枚挟まれている。アールグレイを淹れてきたアンナに聞いた。

「現代芸術を代表する嶋本昭三氏と親しいんだね」

「そうなの。数年前、キエフでAU展を開いたの。お弟子さんをたくさん連れて、華々しくやったわよ。そのとき、お手伝いしたの。嶋本先生を私淑していたので、キエフでAU展を開くというプロジェクトを聞いて、率先して手伝ったわ」

「嶋本昭三が率いるAUがキエフで作品展を開催」とテレビや新聞が大きく取り上げたのを思い出した。

「あれはアンナが手伝ったんだね」

「会場探しからマスコミへの宣伝まで一手に引き受けたわ。嬉しくて、嬉しくて。絵の具の入った瓶投げや女拓《にょたく》をするということで、美術館にはすべて断わられたの。探しに探したわ。そして、リングという名前のディスコを借りることができ、そこで瓶投げや展示を行ったの。オープン直前のディスコで、宣伝のために使わせてくれたのよ」

「女拓もそこでしたのかい」

「よりセンセーショナルにしようと思い、女拓は廃墟ビルでしたわ。テレビ局の人たちがたくさん来て、大成功よ」

「女拓って、裸の女性に墨を塗り、紙に写すんだね。モデルはウクライナ人がしたのかい」

「ウクライナのモデルが申し出てくれたの。嶋本先生は『ウクナイナの女の子はスタイルがいいな』と喜びながら墨を塗っていたわよ。私が絵の具を使ったカラフルな女拓をしていることを知り、日本からきた女性画家2人がモデルになってくれ、私も女拓パフォーマンスをしたわ。まさに日ウ芸術コラボレーションね」

「そんなことがあったんだね。嶋本先生が亡くなって、もう2年だね」

私の言葉を聞いた瞬間、明るくなりかけていたアンナの顔が曇った。

「嶋本先生、亡くなったの……」

市民12人が死亡

2015年2月1日

「ドンバスはどうなっているのだろう」

嶋本昭三が亡くなったことを知ってさらに悲しみに沈むアンナを目の前にして、何を言えばよいのか分からずそう漏らした。

アンナは少し思い直したようにテレビのリモコンを手に取った。

「ニュースでも見ましょう」

ジリジリとした音を立て2、3秒して画面が映った。年代物のテレビだ。ソ連製だろうか。こんなテレビが普通の家にあればみすぼらしく思えるが、アンナの部屋にあると、それはそれで情緒がある。不思議だ。アンナが持てば、どんなものでも洒落て見える。よく見ると、身に付けている洋服だってブランドでも何でもない。そこらで売っている代物だ。それなのに、アンナが着ると、まるでファッション雑誌の表紙にでも出てきそうな洗練された最新の洋服のように見える。付けているアクセサリーもごく普通のそんなに高くないものだ。それなのにゴージャズに見える。

部屋に何げなく置かれている調度品もしかり。よくよく見ると、ごく一般的なものばかりだ。しかし、ここに置かれると、不思議な色を帯びる。

テレビ画面に燃えているバスが映し出された。ロケット砲の攻撃を受け、バスが燃えている。ドネツクだ。「市民12人が死亡しました」と若い女性アナウンサーが伝えた。そのなかに14歳の少女も含まれている。

「ロシアは本当にむごいことをするわね」

アンナの瞳から大粒の涙がこぼれた。弟ボクダンの死と重ね合わせているのだろう。

ポロシェンコ大統領の怒りは頂点に達し、反撃する闘志を見せている。テレビ画面からこちらに出てきそうな勢いだ。

「ウクライナとロシアの戦争はまだまだ終わりそうにないね」

アンナの瞳を覗きこんで私がそう言うと、アンナは悲しみと一緒にアールグレイを飲み干した。

死者が5千人を超えた東ウクライナ

２０１５年2月15日

アンナの部屋を出て、ぼんやりと街を歩いた。冷たい風が頬に突き刺さる。アンナの打ちひしがれた姿を思い出すだけで胸が痛む。先ほど別れたばかりなのに、またアンナの瞳を見たい。

メトログラードに潜り込んだ。この長い地下商店街を歩きながらウインドー・ショッピングをするのが好きだ。見るだけだと、ウクライナの店員は怒る。日本ではそんなことはないが、ウクライナでは何も買わずにただ見ていると、店員が不機嫌な表情で「何を買うの？」と聞いてくる。今着ているコートは、そんな店員の脅しのような言葉に押されて買ったものだ。

それでも、メトログラードを歩くのが好きだ。ゆっくり歩くと1時間はかかる。ギリシャ哲学者ではないが、歩いているといろいろなことを自由に考えられる。いつもなら今書いているもののことやウクライナのこれからについて考えられるのだが、今日に限って違う。アンナのことばかり考えてしまう。

コートを買った店の前に来た。太ったおばさんが、真っ赤な口紅を塗っている。ウインクを1つして、こう言った。

「コートが擦り切れているじゃない。新調したらどうだい」

このおばさんの押しには弱い。曖昧な笑顔で応えると、

「今、ウクライナは戦争状態なので、グリブナの価値がどんどん下がっているよ。今着ているコートと同じものなら、半額で買えるわよ」

値札を見ると、どれも値下げしている。おばさんは続けた。

「東ウクライナの死者はもう5千人を超えたわ。戦闘はますます激しくなりそうね。いつ終わるのかしら」

亡くなったボクダンの顔が浮かんだ。そして、弟の死を受け止められずにいるアンナの心の痛みを自分のなかで感じた。

反射的に女性もののマフラーを手に取った。

「今日はこれにするよ」

代金を払うと、足はアンナの部屋へと向かっていた。

マイダンでの追悼式典

２０１５年３月１日

マイダンでの衝突から1年が経った。

昨年2月18日から20日にかけてまさに革命が繰り広げられた。ヤヌコーヴィチ政権の治安部隊が乗り出し、戦いは激化。ＥＵ入りをめざす市民１００人以上の命が奪われた。当時は70人以上という報道だったが、後から分かった事実はそれを上回っていた。ヤロシ率いる右派セクターなどの後押しで

革命が成功し、23日にヤヌコーヴィチ政権が崩壊した。

この1年間で5500人以上の命が奪われた。

2月20日夜、マイダンで追悼式典が開かれるとのことで、私も足を運んだ。悲しみをかかえた人でマイダンはいっぱいだ。数千人は来ているだろう。

ポロシェンコ大統領の演説を熱心に聞いているアンナを見付けた。真っ赤なマフラーをしている。私がプレゼントしたものだ。花束をにぎりしめるアンナ。その真っ直ぐな瞳は怖いまでに澄んでいる。

こんなたくさんの人がいるのに、アンナを見付けることができた不思議に気付き、我ながら驚く。アンナとは赤い糸で結ばれているのかもしれない。それははるか昔から定められた運命ではないだろうか。などと妄想する。

ポロシェンコ大統領は、命をかけて革命を成し遂げた人びとを称えた。その言葉に涙する人もいる。亡くなった家族を思い出しているのだろう。

人をかき分けて、彼女の傍まできた。彼女はポロシェンコ大統領の言葉を一語一語噛みしめながら聞いている。それは、亡き弟ボクダンとの思い出を一つ一つ慈しむことにつながるからだろう。

悲しみや怒りで繋がった人びとの心は、雄叫びとなった。

「スラーワ・ウクライーニ！（ウクライナに栄光を！）」

「ヘローヤム・スラーワ！（英雄たちに栄光を！）」

私を見付けると、アンナの曇った顔はぱっと明るくなり、駆け寄ってきた。

「あなたも来ていたのね。弟を思っていてくれて嬉しいわ」

風邪によく効くマリーナジャム

２０１５年３月15日

風邪を引いてしまった。異国で病に罹るほど心細いことはない。

一昨日から喉の調子が悪いと思っていたら、案の定昨日の昼過ぎから寒気がして熱が出た。私は喉が弱い。病はいつも喉から入ってくる。日本では喉の調子が悪くなると、のど飴を舐める。のど飴を普通に舐めるのではなく、喉の炎症した部分に舌で当てながら溶かす。３つほど舐めると、初期段階の炎症なら引く。しかし、ここウクライナでは手に入らない。

「ウクライナにも、のど飴があればな……」とこぼしたことがある。すると、「ウクライナにはウオツカがあるよ」と言われた。それ以来、喉が痛くなると、ウオツカでうがいをすることにしている。これがよく効く。

昨夜も唐辛子と蜂蜜入りウオツカでうがいをして早めにベッドに入った。しかし、効かなかった。朝からまだ体が熱い。

珍しくビクトルから電話が入った。ドネツクから家族を連れて脱出し、今はキエフにいる。

「大変だ。ボリス・ネムツォフが射殺された。ウクライナ問題でプーチン批判をしていたロシアの野党指導者だよ」

私は熱でぼんやりしている頭を働かせた。しかし、働かない。

「ビクトル、悪い。今、熱でフラフラなんだ」

ビクトルは申し訳なさそうな声になった。

「ごめん。それは大変だ。すぐに行くよ」

電話を切ると、私は深い眠りに陥った。気が付くと、ドアのチャイムが激しく鳴っている。ベッドを出て、重い体を引きずりながら玄関口に行く。ドアの穴から覗くと、肩で息をしているビクトルが立っている。ドアを開けると、ビクトルが入ってきた。

「よく効く薬とマリーナジャムを持ってきた」

私を床に就かせると、台所でお湯を沸かした。マグカップにマリーナジャムをたっぷり入れ、熱湯を注いで持ってきた。

「この薬とマリーナで、すぐ良くなるよ」

そう言って、私に飲ませた。薬は苦かったが、マリーナはその分甘く感じられた。

薬とマリーナが効いてきたのか、体が楽になったような気がする。

「悪いが、少し休ませてもらうよ。ところで、ボリス・ネムツォフが殺されたと言っていたね」

「クレムリン近くの橋の上で射殺されたんだ。若いウクライナのモデルと歩いていたところを……」

まどろみの中でビクトルの声がぼんやり響いていた。

毎日5人殺される

2015年4月1日

尿意を催して目覚めた。体が軽くなっている。

傍らでビクトルが気持ちよさそうに寝息を立てている。横には唐辛子と蜂蜜入りウオッカの空瓶が転がっている。どうやら1本飲み干したようだ。1本だけかと思いきや、もう1本空瓶が転がっている。こちらは何も入っていないストレートのウオツカだ。とにかくウクライナ人は酒に強い。

ごそごそしていると、ビクトルが目をこすりながら起きた。

「具合はどうだ?」

「薬とマリーナ茶でよくなった。ありがとう」

ビクトルの優しさが身にしみる。

「今、東ウクライナはどうなっている?」

恐る恐る聞くと、ビクトルは険しい表情になって答えた。

「今でも毎日5人は殺されている。ロシアはハリコフまで入り込んだ」

「それは初耳だ」

「今、我々はお金を集めて戦地に送っているんだ。ロシア兵は殺傷能力の高い武器をたくさん持っているが、ウクライナ兵はほとんど持っていない。先日はお金を集めてナイトビジョンを買い送ったんだ」

「真夜中でも敵の動きを見ることができる暗視装置だね。高かっただろう」

「うん。4万ドルした」

「すごい金額だね」

「集めるのが大変だった。普通の兵士は武器不足で困っているんだ。強い兵士には出資する金持ちがいるんだけれど……」

「相撲の谷町みたいだね」
「日本でも、そういうことがあるんだね」

平湯拓先生亡くなる

２０１５年４月21日

歳をとることは、大事な人を失っていくこと――。頭では分かっているが、心では納得できない。父のように慕っていた平湯拓先生が４月３日に亡くなった。目まぐるしく１週間が過ぎようとしている。脳卒中で病院に運ばれ、10日ほどであの世へ旅立った。享年73。

入院の知らせを平湯先生の奥さんから聞いてすぐ、東京に住む平湯先生の弟へ電話した。平湯先生は、酒が回り上機嫌になると、弟の事件が載った新聞記事を見せながらよく自慢していた。

「弟は社会派の弁護士で、よくやっている。虐待児なんかを救う正義の味方。東京ではちょっとした有名人だぜ」

そのことを思い出して、インターネットで検索すると、法律事務所の連絡先が出てきた。すぐさま電話したが、留守電だ。用件を述べ、かかってくるのを待った。

しばらくして、携帯電話が鳴った。平湯先生の弟からだ。声がそっくりなので、すぐに分かった。

「ご連絡ありがとうございます。４月になったら兄の顔を見にいこうと思っていたのですが、急遽キエフに向かいます。今から航空券を取ります」

電話の声で、社会派弁護士の優しい姿が目に浮かんだ。

「弟は貧しいところからは金を取らないんだ。お礼に、家で作った野菜なんかをもらっている」と平湯先生が言っていたのを思い出した。

数日後、弟が飛んできた。自ら重い持病を抱えながらも、兄の見舞いを最優先した。ボリスポリ空港で出迎え、すぐに病院へ。意識が朦朧とするなか、平湯先生は弟が来たことを喜んだ。

それから、病院の近くにあるカフェへ弟と一緒に入った。

「兄の容態も落ち着いているようなので、2、3日様子を見てから一旦日本に帰ります。また来ますので、兄をよろしくお願いします」

弟の表情には明らかに疲れが出ている。引き止めるわけにもいかず、4日後にボリスポリ空港へ送っていった。

弟の帰国後すぐに、平湯先生の容態が急変し、逝ってしまった。人間はいつどうなるか誰にも分からない。

平湯先生は上智大学でロシア語を学んだ後、通訳の仕事で長年東ドイツに住むことに。言語学者だけあってドイツ語の習得も早かった。その後、ハバロフスクで日本語教師となる。最後は、ロシア発祥の地であるウクライナの首都キエフに腰を落ち着けた。

15人ほどの小さな葬儀だったが、未練がましくなく平湯先生らしかった。

平湯先生が好きだった濁りビールを自宅で独り飲んでいると、携帯電話が鳴った。国会議員であるアレクセイの名前が表示されている。電話に出ると、普段は酒を飲まないアレクセイなのに、酔っ払って陽気だ。

4月9日、ウクライナ最高会議が、共産主義・国家社会主義（ナチズム）的全体主義体制を非難し、プロパガンダを禁止する法を採択したという。

「強く押していた法がようやく採択され、ウクライナに光が差し込んだ。これからウクライナは生まれ変わる。一緒に祝ってくれ」

ウクライナにあったKGBのアーカイブが公開されるという。平湯先生が聞いたら、さぞかし喜んだことだろう。何せソ連時代、KGBによって愛する人と引き裂かれたのだから。平湯先生の青春を慈しみながら、残りの濁りビールをグラスに注いだ。

終わりそうにないロシアとの戦い

2015年5月1日

曇った空を部屋の窓から眺めながら、ウクライナとロシアの戦いはいつになったら終わるのだろうとぼんやりと考える。昨日のサマゴンがまだ残っている。店で売られているウオッカよりも、自家製ウオツカであるサマゴンは、味もいいし度数も高い。私のサマゴン好きが広まり、うちにはサマゴンがどっさりある。ペットボトルに入ったサマゴンは一見水のように見えるが、実は極上のサマゴンばかりだ。

単にサマゴンといっても、作り手によって味が違う。度数も違う。色が付いたものもある。ハーブが入っていて、いい香りがする。

ぼんやりとした頭でテレビを見ていると、右派セクターの党首、ドミトロ・ヤロシがウクライナ政府軍のムジェンコ参謀総長の顧問に就いたという。民族主義過激派といわれる右派セクターしか、もう誰もプーチンに太刀打ちできないのだろう。

東ウクライナからロシア軍を追い出すと自信たっぷりに語っていたポロシェンコ大統領。しかし、実際は戦闘が激しくなるばかり。停戦合意も今では寝言のように聞こえる。

マイダン革命が成功したのも右派セクターの力があったからだ。国民は忘れていない。だから、右派セクターを恐れつつも、どこかで頼る気持ちがある。

ドアのチャイムが鳴った。穴から覗くと、青年実業家のアルトゥールだ。ドアを開ける。「入ってもいいか」と言うや否や入ってきた。

アルトゥールはソファーに座ると、テーブルの上にあるサマゴンに気づいた。

「いいか」と聞くので、私は驚いた。ビジネスマンのアルトゥールが昼間から飲むなんて、今までにない。

一気に2杯飲み干すと、アルトゥールはため息をついた。

「ロシアとの戦いはまだ終わりそうにない。プーチンが本気でドネツクとルガンスクを独立させようとしている」

「クリミアだけでは物足りないのかい」

アルトゥールは、私の目をじっと見つめて頷いた。

ドネツクやルガンスクも手に入れたいプーチン

2015年5月15日

あれからずっと青年実業家アルトゥールの言葉が頭から離れない。本当にプーチンはクリミアだけでなく、ドネツクやルガンスクも手に入れたいのだろうか。

欧米を敵に回し、日本とも距離がある。シュレーダー首相のときはあんなにも蜜月だったドイツとも、今は昔。メルケル首相とは不仲だ。

日本とも、森喜朗首相とは心を通わせていたが、安倍晋三首相とは袂を分かった。日本がロシアに対して制裁を加えるとは、プーチンにとって相当ショックだった。

4月9日、ロシア国立テレビのドキュメンタリー「クリミア、祖国への道」で、「クリミアに攻め入る際に核戦力の準備ができていた」とプーチンが話すのを聞き、やはりそうだったのかと思った。驚きはなかった。

アルトゥールの話を聞いても驚くことはなかった。やはりそうだったのかと変に納得する気持ちとそれを否定したい気持ちのせめぎ合いで、混乱したのだ。

携帯電話が鳴った。知らない番号だ。応答ボタンを押す。病院からだ。平湯拓先生の奥さんが心臓発作で救急搬送されたという。

身繕いをして、通りへ出た。白タクを拾い、値段交渉。眉毛の濃いおじいさんで、古いボルガに乗っている。気前よく、こちらの値段に応じてくれた。

助手席に座り、病院へ向かう。ゆっくり走るので、スピードを上げてもらう。急いでいる理由を話すと、おじいさんは驚いた表情でこちらを見る。昨年、心臓発作で奥さんを亡くしたという。何という巡り合わせだ。

間もなく病院に到着した。急いでくれたお礼に、少し多めにお金を渡すと、「ありがとう。お大事に」と言っておじいさんは受け取った。

病室に入ると、奥さんは眠っていた。医者が、廊下に出るようにと言うので、付いていく。腹の出た中年の医師が声を低めて言った。

「ご主人が亡くなって寂しくなり、持病が出てきたようです。もう落ち着きました。しかし、くれぐれも無理せず心穏やかに暮らすようお伝え下さい」

病室に戻り、奥さんの寝顔を見ていると、皺が急に深くなったように感じた。

2015年6月1日

ネムツォフが行った独自調査

「落ち着きましたので、2、3日で退院できます」

医者の言葉を聞き、安心した。

平湯拓先生の存在は大きく、連れ合いを亡くした奥さんの深い悲しみと強い衝撃は心臓発作として表れたのだろう。

薄暗い廊下でぼんやりしていると、大きな犬が靴を舐めている。思わずのけぞった。動物園にいるのか。いや、そうではない。歴とした国立病院だ。無精髭を生やした茶と黒の雑種。物乞いに似たこの中型犬は、どこから忍び込んできたのだろう。

背の低いお婆さんが杖をついて近づいてきた。皺くちゃの顔に小さな笑みを浮かべて言った。

「この犬は管理人が飼っているんだよ。お見舞いのおこぼれをもらおうと病院の中をうろうろしているんだよ」

あまりの驚きで口をぽかんと開けていると、お婆さんは続けた。

「この犬はメスなのさ。色男を見ると、靴をペロペロ舐めるのさ」

色っぽい声を立てて笑った。このお婆さんは案外助兵衛なのかもしれない。下手に受け答えをしてしまうと、このお婆さんの猥談が止まらなくなってしまうかもしれない。

曖昧な表情で「人間の女性にはもてないのにな」と独り言のように言って、その場を離れた。

私が何も与えないのがそんなに恨めしいのか、上目遣いで見ている。角を曲がりようやくその視線から逃れた。犬の視線をこんなにも感じたのは、生まれて初めてだ。

病院を出てキオスクで新聞を買った。ビールが無性に飲みたくなり、カフェへ。埃っぽく雑然とした店だが、我慢しよう。

濁りビールを注文。テーブルに来るや否やぐいと半分ほど飲んだ。ウエイトレスが目の前に立っているので、ポケットからグリブナを出して支払う。

あとは味わいながら少しずつ飲もう。新聞を広げると、「ロシア軍のウクライナ介入、決定的証拠」という大きな見出しが目に飛び込んできた。

暗殺されたロシアの野党指導者ネムツォフが生前に行った独自調査が発表されたという。ネムツォフの同志イリヤ・ヤシンやジャーナリストが追加調査しまとめた。ドネツク州中部イロワイスクなどで昨夏ロシア兵150人以上が死亡。今年1、2月には同州デバリツェボなどの戦闘で70人以上のロシア兵が死亡したという。

事実隠蔽のため、見舞金として遺族に300万ルーブルが支払われたという。記事を読み、膝を叩いた。

破られた停戦合意

2015年6月15日

キエフで書道を教えている白木さんから電話が入った。チェコでの講習から戻ってきたという。キエフ中央駅近くにあるイタリアンレストランでランチを共にすることに。

恰幅のいい白木さんは、濁りビールを味わいながらピザをほおばる。

「ここのピザはキエフで一番だよ。ビールもおいしい」

確かに縦60センチ、横25センチほどある四角いピザは窯焼きで香ばしく、上品な味だ。また、直径15センチほどあるジョッキに並々と注がれてくる濁りビールは格別だ。

「いい店を知っているね」

私がそう言うと、彼は得意そうな顔で「再会に乾杯しよう」とジョッキを挙げた。

ジョッキとジョッキがぶつかり、心地よい音が響く。

ビールが進んだところで、白木さんはウクライナの現状について話し始めた。

「ジョージア元大統領のミハイル・サアカシビリがオデッサ州の知事に就任した途端、ドネツクの近郊マリインカでロシア軍が戦闘を開始したね。ウクライナ軍3人が死亡し、31人が負傷したらしい」

「ジョージアもロシアに侵攻されたという点では、ウクライナと負の共通点がある。ジョージア元大統領をオデッサ州知事に据えたポロシェンコ大統領のやり方はおもしろい。しかし、2月に交わされた停戦合意は、もう完全に破られたね」

白木さんは濁りビールを平らげると、お代わりを注文した。

「それはそうと、ここまでどうやって来たんだい」

「時間がなかったので、タクシーを拾ってきたよ。今日はなかなか拾えなかった」

「まだそんなやり方をしているのかい。危ないよ。キエフのナンバーAAかAIしか乗ってはいけないよ。東ウクライナから流れてきている車も多いので、気を付けるんだ。中には危ない連中もいるからね。タクシー会社に電話するのが安全だよ」

そう言いながら、白木さんはタクシー会社の電話番号を紙に几帳面な字で書いて渡した。

ユーモアを忘れないウクライナ人

2015年7月1日

マイダンには、マイダン革命の大きな写真が何枚も立てかけられている。革命で多くの命が失われたが、ヤヌコーヴィチ政権を倒した。写真からそのときの熱気が感じられる。

そのまま、EU入りしてハッピーエンドとなればよかったのだが、そうはならなかった。プーチンがクリミアに攻め入り、そして今、東ウクライナまで入り込んできている。「アメリカは世界の警察官を辞める」とオバマが言った途端、プーチンは核を持ってクリミアに攻め入り、習近平は南シナ海を本格的に埋め立て始めた。

そんな世界の流れを考えながら、革命の写真を見ていると、切ない気持ちになる。いつの時代も、民衆が翻弄され、民衆が歴史を作る。そんな格言めいたことを独り言のように言っていると、募金を迫る若者が寄ってきた。目が濁っている。おそらく、革命を使って物乞いをしているのだろう。あまりにしつこいので、募金箱に少しばかりのグリブナを入れ、立ち去った。

露天の販売店では、トイレットペーパーが渦高く積まれている。トイレットペーパーにはプーチンの写真が刷り込まれている。写真と一緒に「チンポコ野郎、プーチン」という文字も刷り込まれている。思わず笑ってしまった。ウクライナ人はどこまでもユーモアを忘れない。

何も考えずに歩いていると、ドニエプル川に来た。遊覧船にでも乗ろう。久しぶりの遊覧船だ。缶ビールを飲みながら、涼しい風に身をゆだねる。中洲ではもう水遊びや甲羅干しをしている。

隣りの若者が新聞を広げて見せてくれた。安倍晋三首相がウクライナにやってきたらしい。日本の首相で初めてだ。若者が嬉しそうに日本語で話しかけてきた。

２０１５年７月15日

アニメ好きのアンドリー君

遊覧船で声を掛けてきた青年は、精悍な顔立ちをして、見るからに聡明だ。

「私はアンドリーと申します。シェフチェンコ名称キエフ大学で日本語を勉強しております。只今、2年生でございます」

習い始めて知った日本語を一生懸命に絞り出している。自分が大学でロシア語を習い始めた頃のことを思い出し、なんだかノスタルジックな気持ちに襲われた。

中学生の頃、父の本棚から何気なく本を取り、開いた。読み出したら止まらない。目が疲れ、体が強張り、本を離したい。しかし、本が離れない。ついに一睡もせず最後まで読んでしまった。ドストエフスキーの「貧しき人びと」だ。そんな恐ろしくも心地よい体験をした。この日から本の虜となり、次々と読み漁るようになった。

大学ではロシア語を学びドストエフスキーを原書で読もうと志を立てた。ロシア語を学び始めた頃の瑞々《みずみず》しい心を思い出しながら、アンドリー君の話を聞いていた。

「どうして日本語を学ぶようになったんだい」

そう聞くと、アンドリー君は少しはにかんで答えた。

「日本のアニメが大好きなのです」

鞄から日本の漫画本を取り出して、見せてくれた。漫画をほとんど読まない私は、その漫画を知らなかった。

「初めて見るな、この漫画」

そう言うと、アンドリー君は目を丸くした。

「日本人はすべてのアニメを知っているものと思っておりました」

私は否定した。

「日本人すべてがアニメ好きではないのだよ」

「そうなのですか。驚きました」

「ところで、この漫画本はどこで手に入れたんだい」

「留学中の日本人学生からいただきました。今度、日本のアニメパーティーを開きます。お越しいただけませんでしょうか」

「いいよ」

彼は嬉しそうにパーティーの案内チラシを出した。

マレーシア航空機撃墜から1年

２０１５年8月1日

マレーシア航空機が撃墜されて1年が過ぎた。昨年２０１４年7月17日、アムステルダム発クアラルンプール行きのマレーシア航空機がドネツク州上空で撃墜され乗客乗員２９８人全員が亡くなった。痛ましい事件だ。

カフェで新聞を読みながら、時間があまりにも早く流れていることに今更ながら驚いた。

オランダ安全委員会が事故調査を主導している。今年初めに最終報告書の草案をまとめ、マレーシア、ウクライナ、ロシアなど関係各国に送付したという。内容は、「撃墜に使われたのはロシア製の地対空ミサイル『ＢＵＫ（ブーク）』で、親ロシア派が支配している東ウクライナの村から発射された」

というものだ。ロシアはこの結論に対して強く反論している。

グリーンの目のウエイトレスがカプチーノを運んできた。極端に短いスカートを穿いているので、思わず目がそこに行った。こんなにも深刻な記事を読んでいるのに、短いスカートが気になるなんて。

スカートに目が行っていることを恥じながら、彼女に気付かれていないかと恐る恐る目を上げると、グリーンの目がこちらを見ている。目が合うと、彼女は小さくウインクして、お尻を向けカウンターの方へ戻っていった。

顔が火照った。気を取り直して、カプチーノを一口飲んで、また新聞に目をやった。

マレーシア政府は、オランダ、オーストラリア、ベルギー、ウクライナと力を合わせ刑事責任を追及する国際刑事法廷を設けるよう国連安保理に要請した。ロシアを厳しく問いただそうとしている。

隣りの席で学者風の中年男性2人が深刻な表情で語り合っている。

「ウクライナの憲法は改正されるのだろうか」

「親ロシア派が支配している地域に自治権を与えるものだね」

「そう、2月の停戦合意に含まれている」

「ポロシェンコ大統領の踏ん張りどころだ」

このところポロシェンコ大統領の人気が落ちている。ロシア軍を国外に追いやることのできない無力な大統領というレッテルが貼られた。さらに親ロシア派に自治権を与えるとなると……。

冷めかけのカプチーノを飲み干して席を立った。

アニメパーティー

2015年8月15日

船上で出会ったキエフ大学のアンドリー君が誘ってくれたアニメパーティーへ行くことにした。

パーティー会場はキエフの中心にあるビルの2階。入口からアニメのポスターが所狭しと貼られている。エヴァンゲリオンやセーラームーンなど知っているものもあれば、全く見たことも聞いたこともないアニメもある。

アンドリー君が弾むようにして駆け寄ってきた。

「よくいらっしゃいました」

教科書通りの挨拶をし、深々とお辞儀をした。

「日本人みたいなお辞儀をするね」

驚いて聞くと、

「日本語を教えてくれている日本人の先生がとても厳しい人で、日本の礼儀作法を叩きこまれております」

なんだか可笑しくなった。今や日本ではこんなに礼儀正しい若者は少なくなった。遠い異国で日本の礼儀作法を見るとは。

アンドリー君に案内されて、会場に入ると熱気でむんむんしている。

9人の女の子が舞台で腰をくねらせている。何やら日本語で歌っているようだ。

「逃した魚は大きいぞ」

この歌詞を何度も何度も繰り返している。イントネーションが変で、初めは分からなかったが、聞いているうちに理解できた。

歌い終わると、真ん中の女の子が駆け寄ってきた。

「はじめまして。アンドリーから聞いています。私はクリスタルパワーの代表、サユリです」

日本の名前だ。ニックネームだろう。

アンドリーがサユリの二の腕を指した。そこには「あなたの胸」と大きな文字で彫られている。

正直言って、何を言えばいいのか戸惑った。アンドリー君が目配せするので、思い切って聞いてみた。

「どうしてこの言葉を腕に彫ったんだい」

彼女はぽっと顔を赤らめて小さな声で言った。

「この言葉、かわいいでしょう。この言葉の意味、誰にも言わないでね」

どうやらここにいるメンバーのほとんどは日本語が分からないようだ。

２０１５年９月１日

23回目の独立記念日

マイダンは朝から賑やかだ。８月24日、23回目の独立記念日で大々的に軍事パレードが行われた。

勇ましい兵士が足並みを揃えて行進。２千人はいるだろう。

５年ぶりの軍事パレードだけあって、多くの人が見にきている。

まだ頑是ない子どもが、父親のズボンをひっぱりながら訊いている。

「兵隊さんは強いよね。強いよね。ロシアの兵隊をやっつけてくれるよね」

若い父親がウインクしながら答える。

「もちろんだよ。ウクライナの兵隊さんは強いよ。ロシアから僕たちを守ってくれるよ」

子どもは安堵したのか、小さなえくぼを作った。父親は半ば困ったような目で妻を見た。大人のそんな暗黙の会話に気付かず、子どもは行進する兵士をじっと見ている。

装甲車両や地対空ミサイルなど数十種類の兵器が披露され、物々しい。

今でも東ウクライナでは、ウクライナ軍とロシア軍との激しい戦闘が繰り広げられている。ロシア軍をウクライナから追い出せないポロシェンコ大統領の支持率は落ち込んでいる。ウクライナ全部がロシアに取られてしまうのではないかと心配する人も少なくない。

後ろの方で初老の男が若者に対してしきりに言っている。

「軍事パレードで、ポロシェンコ大統領は領土保全への強い意思を示しているんだ」

若者は頷きながら聞いている。男は続ける。

「わしがもう少し若かったら、東ウクライナへ行って戦うんだけどな」

ポロシェンコ大統領がマイクを握った。

「ウクライナは軍事的脅威にさらされている。独立を守る用意が常に必要だ」

さらに続けた。

「２０１５年から２０１７年の間、軍備刷新に30億ドル以上支出する」

改憲反対デモ

２０１５年９月22日

「ポロシェンコのやり方に抗議しに行こう」

早朝に携帯電話が鳴った。リヴィウに暮らすイゴルからの電話だ。彼は西ウクライナを基盤とする「自助」の党員で、ポロシェンコ大統領の東ウクライナに対する態度にがまんがならず、先日も電話で不平を漏らしていた。

「久しぶりだな。今、どこなんだい」

「キエフ中央駅に着いたばかりだ」

リヴィウから夜行列車に乗ってきたのだろう。早朝にキエフに着くこの列車は私もよく利用する。

「今日、仲間たちと抗議デモをするので、議会前に来てくれないか」

「分かった。行くことにする」

そう言って、電話を切った。

今年2月にミンスクで交わした和平合意を履行しようとする政府に反対する抗議デモだ。年内に改憲を行い、ロシアが進駐している東ウクライナに特別な地位を与える恒久法を制定する。市民はこれに対して猛烈に反発している。

イゴルは電話を切る前に力強い声で言い放った。

「ジョージアの二の舞にはならない」

約束の時間に行くと、議会前は大勢の人が集まっている。3千人はいるだろう。顔ぶれを見ると、「自助」だけでなく、極右政党「自由」や与党連立に加わるウクライナ民族派「急進党」の党員も多い。イゴルの姿が見えた。鬼のような形相で治安部隊に対して手投げ弾を投げるそのときだった。

ラジオからニュースが流れた。

「ウクライナ最高議会（定数450）は改憲法案に関する第1回投票が行われました。賛成265で承認された模様です。ただし、可決には第2回投票で300票を得る必要があります」

ドニエプル川の中洲を歩く

2015年10月1日

ドニエプル川の中洲にある駅で降りた。取り立てて特別な理由も当てもないが、ふと中洲を歩いてみたくなった。

賑わうシーズンが終わり、遊園地もひっそりとしている。

ベンチに腰掛けて煙草を取り出した。お気に入りの銘柄ベロモルカナルだ。最近は手に入りにくい。ソ連時代に流行った煙草で、吸い口部分が空洞になっている。煙草の葉が詰まっているのは先だけで、ほんの少し。空洞部分に別の違法な葉っぱを入れて吸う若者もいたと聞いたことがある。

吸い口を親指と人差し指でぺちゃんこにして口にくわえる。マッチで火をつける。ウクライナのマッチは火薬部分が極端に少ない。日本のマッチだと軸の先にたっぷりと火薬が付いているので、火をつけやすい。ウクライナのマッチは軸が弱くて短く、火をつけるのに少々コツがいる。

煙草に火をつけ、一服。煙草はいい。心が休まる。

ウクライナの戦いはいつになったら終わるのだろうか。多くの血が流れた。今も流れている。そして、これからも流れる。そう思うと、切ない気持ちになる。

新聞を広げ、世界のニュースに目をやる。シリアを逃れ「ドイツ、ドイツ」を叫びながらドイツをめざして歩く人びとの記事を読み、ウクライナはまだいい方だと自分を納得させる。シリアの人は気の毒すぎる。今のシリア人にとってドイツは天国だろう。ウクライナ人にとってもヨーロッパは憧れの地……。

隣りのベンチに若いカップルが腰かけた。私と同じく街の喧騒を避けて散歩しにきたのだろう。男の子が囁くように彼女に言った。

「ヨーロッパが天国でないことぐらいウクライナ人も分かっている。しかし、ロシアと比べれば、天国だよ」

女の子は優しく彼の頬にキスをした。

2015年10月15日

半分のロシア人はプーチンを嫌っている

ロシアの飛行機をウクライナへ入れないとウクライナが発表するや否や、ウクライナの飛行機をロシアに入れないとロシアは発表した。

ミハイル一家がキノコ狩りに誘ってくれ森に来たものの、キノコ狩りそっちのけでミハイルと奥さんのターニャはこのことで言い争っている。

実はミハイルはロシア人だ。ウクライナとロシアの関係が悪化してから、ロシア人であることを誰にも言っていない。ターニャは知られるのを極端に恐れている。古い友人は知っているが、誰にも言わない。それどころか、古い友人が「ロシア人であることを黙っておいた方が賢明だ」と忠告してくれた。

ロシア人を集団暴行することは珍しくない。反対にロシアではウクライナ人を集団暴行することが多発している。

ミハイルは商社マンで世界中を飛び回っている。もちろんロシアにも行く。ロシアでは堂々とロシア人であることを公言している。

「ウクライナとロシアの間を飛行機が飛ばなくなると、仕事がやりにくくなる」

そんなミハイルの愚痴を聞いて、ターニャは愛国心をさらけ出す。

「ロシアとの仕事なんて、ない方がましだわ」

実際、このところロシアとの仕事はない。しかし、ミハイルの老いた両親がモスクワに住んでいるので、時折行く。

「プーチンはいつになったら軍隊をウクライナから引き上げるのよ。ロシア人はプーチンを恥に思わないの？」

ミハイルはため息をついて吐き出すように言った。

「ターニャ、ロシア人も馬鹿ではない。半分のロシア人はプーチンを嫌っている」

ターニャは噛みつく。

「でも、後の半分はプーチンを崇めているじゃない」

「確かにそうだな」

勢いづいてターニャは続ける。

「どうしてプーチンを嫌っている半分の人たちは立ち上がらないの」

「ロシアにはまだ農奴の心が残っているのかもしれないな」

幼いユリアと一緒にキノコ狩りをしながら、いつ終わるとも知れない論争を聞いていた。

先日採ったキノコを食べにこないか

２０１５年11月1日

10月25日冬時間になり、大きなトラブルもなく地方選挙は終わった。

「先日採ったキノコを食べにこないか」とミハイルから誘いの電話があったので、ウオツカを持って行くことに。

ミハイルの家に入ると、キノコ料理の香りがした。

思わずお腹が鳴る。ミハイルは小さく笑い、「さあ、はやく食べよう」と背中を押してくれた。

ユリアが「おじさん、おじさん」と言いながらまとわりつく。

小さなユリアを抱き上げ、テーブルのところまで行くと、所狭しとキノコ料理が並べられている。

「いらっしゃい」

そう言って、奥さんのターニャが椅子を引いてくれた。

ユリアを抱っこしながら、ワインで乾杯。キノコ料理とワインはよく合う。

「ターニャの料理はおいしいね。高級レストラン以上だ」と言うと、ターニャは「ありがとう」と微笑んだ。

「ウクライナでは、レストランよりも家庭の方がおいしいのよ」

ミハイルも嬉しそうに言葉を添える。

「妻に胃袋をつかまれているので、どんな素敵な女性が現れてもなびくことはないな」

ターニャはミハイルの頬にキスをして、「本当かしら」といたずらっぽくからかった。

杯を重ねているうちに、選挙の話になった。ターニャが口火を切った。

「今回の選挙から共産党は出ることができなくなったのよ」

ミハイルがそれに解説を加える。

「共産党は党名を変えて出たけれど、誰もが分かっているので、投票しなかったよ」

膝の上で、ユリアはキノコをほおばっている。

犠牲になるのは普通の人

2015年11月15日

秋は西ウクライナの季節だ。リヴィウ工科大学で講義を頼まれ、西ウクライナの中心都市リヴィウに来ている。昨夜キエフから電車に乗り、今朝リヴィウに着いた。

駅に着くと、スーツ姿のイワン先生が待っていてくれていた。早朝にも関わらず、ビシッと真っ直ぐに立っている。もちろん寝癖など全くない。スーツの左襟には日本国旗のピンが付けられている。

電車から降りると、満面の笑顔で迎えてくれた。

「よく来てくれましたね。とても嬉しいです」

ハグをして再会を喜び合った。

「いつもと同じ料理で申し訳ありませんが、うちで朝ごはんをお召し上がり下さい」

さすが日本語の先生だ。丁寧な日本語を話す。

イワン先生の家に着くと、奥さんのナタルカが朝食を用意して待ってくれていた。

「よくいらしてくれましたね」

ハグして、コートを取ってくれた。

「どうぞ、どうぞ」

そう言ってナタルカはダイニングに誘い入れた。

イワン先生のお母さんが背中を曲げて座っている。オリガ婆さんだ。私を見るとにっこり笑って、早口で言う。

「早く座って、食べて、食べて」

ジャガイモをすり潰して揚げたデルニー、牛乳から作ったおからのようなトゥボロク、それに黒パン。

ナタルカの作る料理は絶品だ。こんなにもシンプルな料理にも関わらず、一味違う。

デルニーを何枚も食べる。トゥボロクも黒パンもデルニーによく合う。イワン先生もデルニーをほおばっている。

朝食をとりながらイワン先生といろいろと積もる話をしているうちに、エジプトで撃ち落とされたロシアの航空機の話題になった。

横で聞いていたオリガ婆さんが目に涙を浮かべながら小さな声でこぼした。

「いつの時代も、どの国でも、犠牲になるのはいつも普通の人なのね」

私は言葉に詰まり、何も言えなかった。

パリ同時多発テロで誰が得したか

２０１５年12月1日

リヴィウ工科大学に着くと、学生でごった返していた。イワン先生と一緒に学長に挨拶する。学長は「よく来てくれましたね」と言ってウクライナの民芸品をプレゼントしてくれた。なんともフレンドリーな学長だ。

教室に入ると、学生と一緒にフェドリーシン先生が迎えてくれた。「ウクライナにおける日本語・日本文化の普及に寄与した」として旭日小綬章が授与された老教授だ。

「先生、昨年はおめでとうございました」

老教授ははにかんで、静かに「ありがとうござます。皆さまのお陰です」とお辞儀した。何とも謙虚な先生だ。

イワン先生に向かってささやいた。

「大きな仕事をしているのに、フェドリーシン先生がまだ准教授だなんておかしいね」

困った顔をして、イワン先生は首をすくめた。

学生たちは私の話を首を長くして待っていた。生の日本情報を知りたいのだ。

今回は、日本の音楽事情について話した。一言でも聞き洩らしてはならないとばかりに、学生たちは私をじっと見て、頷きながらメモをとっている。こんなに一生懸命に聞いてくれると、話す方も力が入る。

講義が終わり質問の時間になると、次々と聞いてくる。こちらも自分の持っている知識を惜しみなく与える。

講義時間が終わってもまだ質問してくる学生がいるので、夕食を一緒にとることになった。早速、イワン先生がリヴィウで人気のあるウクライナ料理店を予約してくれた。

夕方、ウクライナ料理店を訪れると、イワン先生と4人の学生が待っていた。ウクライナ料理に舌鼓を打ちながら話している内に話題がプーチンになった。

ウオツカを数杯飲んだイワン先生がいつになく険しい表情になって言った。

「パリ同時多発テロで誰が得したか知っていますか」

学生の一人が「プーチン」と静かに答えた。

イワン先生は続けた。

「今、プーチンはしきりに『ウクライナのことはおいておき、ヨーロッパとロシアは協力してテロを撲滅しよう』と力説しています。オランド大統領は手を組むかもしれません」

別の学生が「テロの首謀者はプーチンだったのですね」とため息をついた。また別の学生が「自作自演とは、どこまで汚いんだ」と怒りをあらわにした。

クリミアへの送電塔が爆破される

2015年12月15日

ビーツのたっぷり入った真っ赤なボルシチは美味しかったものの、話題がパリ同時多発テロになり、昨夜の集まりは後味が悪いものとなった。イワン先生の家に戻り、サーロ（塩漬けした豚の脂身）をかじりながらサマゴンを何杯も飲んだ。

二日酔いになると思いながら就寝したが、朝起きると、不思議にすっきりとしている。自分の頬を叩きながら台所へ入った。

「おはようございます」

妙なイントネーションの日本語で、ナタルカが迎えてくれた。ナタルカの挨拶は明るくていい。オリガ婆さんは、黒パンを牛乳に浸しながら食べている。

ナタルカが熱い紅茶を差し出した。牛乳と砂糖をたっぷり入れて飲む。サマゴンをたくさん飲んだ朝は、これに限る。頭はすっきりしているものの、胃がまだ寝ている。

居間でテレビのニュースを見ていたイワン先生が、「大変なことになりました」と言いながら台所に入ってきた。

「どうしたのですか」

「クリミアに隣接するヘルソン州の2ヵ所4基の送電塔が何者かによって爆破されました」

「何ですって」

横からナタルカが割って入った。

「3分の2の電力を本土からクリミアへ送っているので、クリミアは全地域で停電になっています。ロシアのクリミアへの進駐に我慢ならず、若者たちの堪忍袋の緒が切れたのです」

「とうとうやってくれたわね！」とナタルカは飛び上がって喜んだ。

オリガ婆さんがやれやれといった表情で、静かに残りのパンを口にほりこんだ。

国を守るには核しかない

２０１６年1月15日

リヴィウの街は世界遺産に登録されているだけあって美しい。クリスマスでより一層賑やかだ。ウクライナのクリスマスは1月に行われる。旧暦でクリスマスを定めているからだ。

久しぶりに地下レストラン「クリィイーヴカ」へ。入口に軍服を着た店員が立っている。低い声で聞く。

「ロシア軍人か？　共産党員か？」

「いいえ」

こう答えると、扉を開いてくれる。扉の向こうには地下へ続く階段がある。中は広い。

パルチザン風の大盛り料理が運ばれてくる。見た目はダイナミックだが、味はいい。ウオッカをひっかけながらジャガイモ料理をほおばる。

隣の若者2人が大きな声で議論している。大学生だろう。

目の青い青年が新聞を広げながら言う。

「北朝鮮が水爆実験を成功させた」

背の低い黒髪の学生が、その新聞を引っ手繰る。

「何てことをしたんだ。狂気としか思えない」

反論が始まる。

「ウクライナも見習うべきかもしれない。ロシアの口車に乗せられて核をすべて手放したウクライナはこの様だ。国を守るには核を持つしかない」

「それは暴言だ。世界中がそんな考えをすれば、地球滅亡しかない」

正義感の強い学生は、濁りビールを煽ると、こう言い返した。それに対して、もう一人が青い目を深く閉じて首を横に振りながら諭すように言う。

「君は子どもだな。理想論も休み休み言うがいい。今、ウクライナはロシアに進駐されているんだぜ。我々は踏みつけられているんだ。この大きなゴキブリを追い払うには武力しかない。究極の武力が核なんだ。核武装しなければ、ウクライナ民族は滅ぼされる」

黒髪を掻き毟りながら、何も言えず背の低い学生は大きなため息をついた。

2016年2月1日

政治を一新させ、経済を立て直す

青い目の学生と背の低い学生の議論を聞いているうちにどうしても口を挟みたくなったようだ。横に座っていた老人が「若者たちよ」と割り込んだ。

整った身なりをしており、教養のある顔立ちだ。おそらく長年教壇に立っていたのだろう。教え諭すように2人の若者にかけた声色からして間違いない。眉間に皺を寄せながら続ける。

「大局を見る目も大切ですが、目の前の現実を見ることも必要ですよ」

威厳のある雰囲気に圧倒され、2人の若者は議論をやめ、背筋を伸ばした。

老人は額に右手を当てながら、交互に若者を見つめた。

「戦争が続いて、暮らしはとても厳しくなっています。光熱費などは倍になりました。君たちは親に食べさせてもらっているから分からないでしょうが、日に日に生活が厳しくなっているのが現実です」

2人はじっと聞いていた。

「それなのに、政府の連中といったらどうでしょう。すでに私腹を肥やす輩が目に付くようになっています。外国からの支援金を自分の懐に入れている輩もいます。君たち、どう思いますか」

青い目の学生が、つぶやくように言った。

「確かにそれは許せません」

背の低い学生が老人を見つめて聞いた。

「どうすればいいのですか」

老人は白いひげを撫でながら静かに答えた。

「私たちの時代は終わった。これからは君たちの時代です。自分の頭でよく考えて、この国の政治を一新させ、経済を立て直してください」

老人は2人にウオツカを振る舞い、3人で乾杯した。

リヴィウのIT会社へ

2016年2月15日

ウクライナは知られざるIT立国だ。街のいたるところにITのオフィスがある。

リヴィウの中心にオフィスを構える「虹」はiPhoneのアプリを開発している会社だ。

「虹」を訪れると、受付嬢が「久しぶりにいらしてくれたのですね。嬉しいです。社長も喜ぶと思います」とにこやかに言った。

予約なしで来たにもかかわらず、嬉しい歓待だ。

クリッとした目の可愛い受付嬢は、昨年入社した。

社長のタラス君は、採用面接のとき、なぜか私を同席させた。採用面接といってもくだけたもので、オフィス近くの小さなカフェでコーヒーを飲みながらのものだった。他愛ない会話のなかにも彼女の知性が伺えた。しかも、チャーミングだ。

採用面接が終わり、彼女が帰った後、タラス君は私に聞いた。

「彼女のこと、どう思う?」

「感じのいい子だね。頭もいいし。しっかり働いてくれると思うよ」

そう答えると、彼は笑顔で頷いた。

「僕もそう思う。決まりだな」

すぐに採用が決まった。

採用されたのは私の助言があったからだと彼女は思い込んでいるらしい。私を採用の神様だと思っているようだ。

出社1日目に電話があった。

「今日1日働いて分かったの、『虹』って本当に素敵な会社です。仕事内容もさることながら、スタッフが皆いい人ばかりです。お礼に今夜、ご馳走させてください」

「私は何もしていないよ」と言いかけて言葉を飲んだ。

彼女の喜ぶ可愛らしい顔を思い浮かべて、「ありがとう」と言い、待ち合わせの場所を決めた。時間通りに待ち合わせの場所に来た彼女は、特別な日に行くというレストランへ私を誘った。

着いたのは、日本風の綺麗な装飾を施した寿司バーだった。日本人の私を気遣って、ここに来たのだろう。その心遣いが純粋に嬉しかった。

寿司を食べながら、2人は夜遅くまで話をした。

酒の効用だろう、初めて一緒にする食事なのに、まるで長年付き合っているカップルのようだった。

1年前のことをつい昨日のことのように思い出していた。

ホルプツィーをほおばる

２０１６年３月１日

「虹」の社長室に入ると、人懐っこい笑顔のタラス君が迎えてくれた。固い握手をしてハグ。細く見えるが、見た目以上にガッチリしている。１年前に会ったときより太っているようだ。

「元気だったかい。会社は順調か」

タラス君ははにかんで答える。

「うまくいっているよ。今は新しいｉＰｈｏｎｅのアプリ開発でてんてこ舞いなんだ」

社長室はデスクトップパソコンとノートパソコンが１台ずつあるだけ。殺風景な部屋だ。

「よく来てくれたね。ランチに行こう。その前に社内を案内するよ」

制作の部屋へ入ると、十数人のエンジニアがパソコンに向かっている。オレンジ色の壁紙が洒落ている。

タラス君と私が入ると、エンジニアたちが笑顔で迎えてくれ、なんだか心地いい。１年前よりも人数が倍以上になっている。

「お洒落で活気のある職場だね」

褒めると、タラス君はまたはにかみながら答える。

「彼らは皆優秀だよ。だからどんどん仕事が入ってくるんだ。助かっている」

エンジニアはのびのび仕事をしている。タラス君の人柄の良さが、職場に充満している。そう感じた。

会社からすぐ近くのレストランに入る。タラス君が得意げに言う。

「あまり目立たない小さな店だけれど、料理が最高に美味しいんだ。特にホルプツィー（ロールキャベツ）が最高だよ」

タラス君は自分の会社を褒められると照れるが、自分以外のことは誇らしげに語る。運ばれてきたホルプツィーをほおばる。タラス君の言葉以上の味だ。

内戦ではなく戦争

２０１６年3月15日

ウクライナでなおも戦争が続いているのにも関わらず、世界ではすっかり過去のような扱いになっている。たまに報道されても、「内戦」という間違った報道がされる。内戦とは、国内で国民同士が戦うことだ。ここではロシアがウクライナに進駐して、戦争が起こっている。ウクライナとロシアはどちらも旧ソ連とはいえ、今は別々の国だ。しかしながら、いまだにウクライナとロシアは同じ国だという誤った認識が存在する。事実を知らないのか、故意に事実認識を誤っているのか、実のところ怪しい。

そんな思いが脳裏をよぎる。

ウクライナ料理を食べ終え、濃いコーヒーをすする。人気のウクライナ料理店をいくつも知っているが、ここのウクライナ料理は格別だ。

実は、店を見たときはこれほどまでの料理だと期待していなかった。壁が剥がれ、修理が十分にできていないレストラン。店内のテーブルや椅子も傷ついて、骨董品のようだ。

しかしながら、料理を口に入れるや否や、自分の考えがいかに浅はかだと反省した。

コーヒーをすすりながら、タラス君は喉から言葉を絞り出した。

「モスクワでは大々的にプーチン反対運動が起こっている。プーチン政権も、そんなに長くない。個人的な意見だけれど」

「それ、本当か」と改めて問うた。

タラス君は、静かに目を閉じ頷いた。

クリミア進駐から2年

2016年4月1日

キエフへ戻るために、リヴィウ中央駅から夜行列車に乗り込んだ。仕事で忙しいなか、タラス君が見送ってくれた。

「次はいつ来るんだい」

別れるとき、タラス君はいつもこう言う。この言葉が脳裏にこびりついていて、また会いたくなる。

「また近いうちに来るよ」

こちらもいつもと同じセリフを返す。

切符の番号を確かめながら、座席にたどり着く。

プラツカルト（3等）は部屋になっておらず、見合い席で引き出しベッドがそれぞれ上に付いている。さらに通路にも席があり、その上にも引き出しベッドが付いている。もちろんカーテンも手すりもなく、丸見え。

実はプラッツカルトを気に入っている。同席した人と仲良くなり、おしゃべりができるからだ。サーロやサマゴンをもらうことも珍しくない。

座席に着いて出発を待っていると、黒髪の美女が向かいの席へやって来た。大きな荷物を持っている。

「お手伝いしましょうか」と声をかけると、「ありがとうございます」と小さく微笑んだ。

座席を上げて、荷物を中に入れる。

「どうぞ、腰掛けてください」

そう促すと、彼女は両頬にエクボを作る。明朝キエフに着くまで楽しい時間を過ごせるなと内心喜んだ。

列車が走り出すと、彼女が独り言のように話しかけてきた。

「私、クリミアから逃げてきたタタール人なの。クリミアにロシアが進駐してから、私たちの生活は滅茶苦茶になってしまったわ」

どう答えればいいのか迷っていると、彼女は続けた。

「もう2年になるわ、ロシアが進駐して」

通路の座席に座っていた初老の男性がこちらへすり寄ってきた。

「クリミアに暮らすロシア人でさえ苦しい生活をしているようです。何せ、ウクライナ本土から陸路で運ばれていた食料品などが止まったので、クリミアの物価はこの2年間で2倍に跳ね上がったというではありませんか」

彼女はため息をついた。

「ウクライナ本土からの淡水や電力も絶たれたので、断水と停電で不自由しているようなの」

初老の男性はあご髭を撫でながら続けた。

「プーチンは2年後を目指してケルチ海峡の架橋に2270億ルーブル（約4420億円）を投じるそうです」

2016年4月15日

ポロシェンコ大統領訪日の舞台裏

黒髪の美女が小さな包みを開けて、クッキーを取り出した。

「これ、美味しいわよ。私の友だちが作ってくれたの」

両手で受け取った。その様子を見ていた初老の男性も私の真似をして、両手で受け取る。

「日本人は礼儀正しいのね」

彼女は小さく微笑んだ。緊張した雰囲気が和らぐ。

美女の微笑みはすべてを包み込む力を持っている。

「日本がポロシェンコ大統領を招いたのね」

「3日間という短い滞在期間だったけれども、安倍首相は約2千億円の経済支援を着実に実施していくと約束したよ」

「ありがたい話だわ」

「その上、チェルノブイリに約4億円を新たに拠出することも表明したよ」

「チェルノブイリ原発事故から30年の年に大きなプレゼントをしてくれたわね」

初老の男性が眉間に皺を寄せて、会話に割り込んだ。

「確かに日本がしてくれることはありがたい。しかし、今回の訪日には問題があります」

黒髪をかきあげて彼女は初老の男性の方へ首を傾げた。

「当初の話では、共同声明が出るはずでした。ところが、蓋を開けると、共同記者会見。格落ちというわけです」

「それは、タックスヘイブンが明るみになったからなの」

「いや、そうではありません。日本は最初からそのつもりでした。安倍首相がロシア訪問を前にして、ウクライナに胡麻を擂ったのです。もちろんアメリカへの言い訳でもあります」

黒髪の美女は得心し、もうすっかり暗くなった窓の向こうに視線を移した。

２０１６年5月1日

若者たちに光を見る

窓の外に目をやる黒髪の美女を覗き込むようにして、初老の男性はねちねちと話を続けた。

「それにしても、いつになったらこの国から汚職がなくなるのでしょう」

彼女は困ったような表情で私を見た。どういう表情を返すのがいいものなのか戸惑っていると、

「ヤツェニク首相まで汚職にまみれているというではありませんか」

どうも話が後ろ向きに進みそうだ。ウオツカを一杯引っ掛けて明るい話題を提供した。

「ミリティア（古い警察）は汚職まみれでどうしようもないけれども、ポリティア（新しい警察）は権力に屈しない若者たちががんばっているではありませんか。光が見えています」

彼女の顔が明るくなった。暗い列車のなかでも分かった。

「ユーチューブで見たわ。交通違反でポリティアに捕まった政治家の奥さんが『私を誰だと思っているの。承知しないわよ』と若い警察官に悪態を吐いていたわ。でも、若い警察官は動じないの。かっこいいわ」

「そういえば、ポリティアの車はすべてトヨタのプリウスだね」

「プリウスってスマートで颯爽としていて、いいわね」

話が前向きになるに従い、初老の男性は言葉数が少なくなり、いつの間にか自分の席に戻っていた。

彼女はクッキーを取り出して、私に渡した。

「もう1ついかが」

「ありがとう」

「あなたのお陰で暗い話を聞かなくて済んだわ。こちらこそ、ありがとう」

「お礼を言われるまでもないよ」

「それにしても、どうして年を取ると、人はマイナス思考になるのかしら」

「長く生きていると、悲しいことを数多く経験するからかもしれないね」

彼女は納得しかねたような表情でクッキーをほおばった。

返されたチョコレート

2016年5月15日

クッキーのお礼と思い、ポケットにあったチョコレートを彼女に渡した。赤い包みの綺麗なデザインで、サクサクしていて食感がいい人気のチョコレートだ。

「ありがとう」

小さく微笑んで彼女は受け取った。しかし、その微笑みはすぐに消え、顔がすーっと曇った。何か悪いことをしたのだろうか。私は自分の言動を振り返った。しかし、どう考えても彼女に対して気分を害することをしていない。

もっとも美しい女性に対して、好かれることはするが、嫌われることなどするわけがない。

彼女は俯き、チョコレートをじっと見ている。黒髪に覆われて、表情が分かりにくいが、明らかに不快な様子だ。

2人の間に冷たい空気が流れた。

「悪いことをしたかな」

恐る恐る聞いてみた。すると、美女は静かに首を横に振った。

「あなたは何も悪くないわ」

少しほっとした。

「私、ポロシェンコ大統領が嫌いなの。私たちは裏切られたわ。だから、彼の会社ローシェンが作るチョコレートは食べないの」

「そうだったんだね。悪いことをしたね」

そう言って、チョコレートを受け取った。

沈んだ彼女の顔を見ていると、「どんなふうに裏切られたんだい」と問うことができない。

彼女がぽつりと呟いた。

「ポロシェンコ大統領の支持率は47％から17％に落ちたわ」

揺れる列車の中で彼女の言葉が重く響いた。

ユーロビジョンでウクライナ代表優勝

2016年6月1日

腹を満たした乗客たちは、ベッドメーキングを始めた。

2段ベッドを倒し、天井近くの荷台に積まれてある布団を降ろして敷く。丸められた布団は埃っぽい。枕もすえた臭いがする。どちらも洗濯は一度もされていないだろう。

毎夜毎夜、乗客が変われどもそのまま使われる布団と枕に初めは怯んだが、ウクライナにどっぷり浸かってしまった今となってはまったく気にならない。子どもの頃から夜行列車を利用しているウクライナ人にとっては、ごく普通のことだ。取り立てて話題にすることでもない。

車掌が配るシーツと枕カバーはさすがに洗濯されていて、ビニール袋に詰められている。封がされているから使い回しではない。

ただし、希望者だけに配られる毛布は洗濯されているのかいないのか判断できない。2回に1回の割合で、あるいは10回に1回の割合で洗濯されるのかも知れない。そんなことを考えながらベッドメーキングを終え、2段ベッドによじ登った。

向かいのベッドに目をやると、黒髪の美女は既に横になってイヤフォンで音楽を聞いている。その姿が絵になる。彼女が恋人で添い寝してくれていると妄想するだけで、動悸が激しくなる。

そんな私の視線に気づいた彼女は小さく微笑んで、イヤフォンを差し出した。

まだ彼女の温もりが残っているイヤフォンを耳に入れると、力強い音楽が流れてきた。

「今年のユーロビジョン（欧州歌謡祭）で優勝したジャマラだね」

「彼女も私と同じクリミアのタタール人なの。スターリンによるクリミア・タタール人追放をテーマにした歌『1944』は、まさに今の私たちなの」

「ジャマラが優勝して、ロシアがカンカンに怒っているね」

「ウクライナ代表のジャマラが優勝したので、来年のユーロビジョンはキエフで開催されることになったわ。ロシアはどんな横槍を入れてくるかしら」

二日酔いにはレモンティー

2016年6月15日

目を覚ますと、窓外がうっすら明るくなっている。電車は速度を落とし、静かに走る。向かいのベットに目をやると、黒髪の美女はかすかに寝息を立てている。

昨夜は調子に乗りすぎてウオツカを飲み過ぎた。頭がふらついている。こんなときはレモンティーに限る。

ステップに足を乗せ、よたよたと下に降りる。車両が揺れ体勢が崩れ、向かいのベットに手をやった。そのとき、彼女のふくらはぎに触れた。触れた瞬間に、いや触れる一瞬前にその柔らかさを感じ、どきりとした。さっと彼女の顔を見た。幸いなことに彼女は気付くことなく夢の中を漂っている。胸を撫で下ろした。お陰で酔いが吹っ飛ぶ。

車掌室を覗くと、腹の出た不機嫌顔の中年男が面倒臭そうに紅茶を淹れている。淹れるといっても、車掌室前にあるタンクからグラスに湯を注ぎ、ティーパックを垂らし、薄切りレモンを入れるだけだ。

「レモン入り紅茶を一杯お願いします」

そう言うと、車掌は明らかに不機嫌そうに舌打ちした。なんだこの態度は。それ以上何も言う気がしなくなり、車掌室を後にし自分のベットへ。

仕方なくスイカ味のチューインガムを噛むことに。5分ほど経った頃、車掌がやって来てぶっきら棒にレモンティーを差し出した。それを受け取ると、車掌は手のひらを出す。グリヴナ硬貨を渡すと、何も言わずズボンのポケットに仕舞って去った。

気分が良くない。少し抵抗しようと思ったが、車掌になされるがまま。そんな自分に腹立たしくなったが、寝起きの上二日酔いの頭ではしっかり考えられない。

鉄のカバーが付いた縦長のグラスになみなみと注がれたレモンティー。砂糖をたっぷり入れて、一口する。グラスに刺してあるスプーンが目に入らないように右目を閉じながら。そういえば、こんな小説があった。ロシア人スパイがアメリカ人だと偽っていたが、紅茶を飲むときに片目を瞑《つむ》ってばれる。なんとも間抜けな話だ。

最後の一口をすすったときには、すっかり目が覚めていた。

イギリスEU脱退、プーチン高笑い

2016年7月1日

キエフに戻ってきてから、夜行列車で出会った黒髪の美女のことが気になっていた。一瞬触れたあの柔らかいふくらはぎの感触を思い出す。階段を降りているとき、ボルシチを口に含んだとき、そんな何気ない日常のなかで、ふと指先から記憶が蘇る。

思い切って電話をすることにした。

「アリョーナ、元気にしているかい」

「お電話、嬉しいわ」

想定外の返事に、顔が火照った。

「おしゃれなカフェができたので、これから一緒に行かないか」

「いいわね」

電話を切り身支度をした。まだ時間があるが、落ち着かず部屋を出た。

カフェは賑わっていたが、ちょうど奥まったところに一席空いていた。向かい掛けの席ではなく、カップルが並んで座る特別な席だった。

約束の時間より1時間も早い。手持ち無沙汰なので、コーヒーをすすりながら、アレクシエーヴィッチの本を開いた。ノーベル賞受賞後、生まれ故郷であるウクライナでも再評価されている。

しかしながら、彼女のことが気になって、目が文章の上を滑って頭に入らない。何度も同じ文章を読みながら、入口をちらちら見る。

30分ほど遅れて、アリョーナが店にやってきた。夜行列車のときとは違ってエレガントな衣装に身を包んでいる。

席を立って彼女を迎える。ハグする。ほのかに甘い香りが鼻に抜ける。この香水はシャネルだ。

席に着きコーヒーを注文すると、アリョーナはバックから新聞を取り出した。

「イギリスがEUを脱退したわ。この新聞を見て。1面にイギリス以外のEU加盟国27ヵ国の国旗を出して、その横にそれぞれの国の言葉で『さようなら』て書いているの。EU離脱派の英字新聞よ」

「世界中が混乱しているね」

「これはプーチンの仕業よ。ロシアの工作員が仕組んだことなの。プーチンの高笑いが聞こえてくるわ。どう思う？　意見を聞かせて」

どうやらロマンチックな話にはなりそうにない。店員に濃いめのコーヒーをもう1杯頼んだ。

ＥＵを解体する移民問題

２０１６年７月15日

濃いめのコーヒーを飲みながら、切り出した。

「確かにプーチンの仕業かもしれない。しかし、根っこには移民問題があるよ」

アリョーナはコーヒーカップを両手で握り、私の目を見つめた。

吸い込まれそうな瞳を見つめながら、私は続けた。

「大量に流れ込んできた移民にイギリス人は辟易しているんだよ。治安が乱れ、街が荒れ、暮らしに不都合を感じる人が多くなっている現実がある」

「それは分かるわ。ティムール・ヴィルメシュの書いた『帰ってきたヒトラー』がドイツでベストセラーになったわ。この本を読んで、ドイツ人が移民に辟易している現状を知ったから」

「映画化もされたね。撮影していくなかで、多くのドイツ人がヒトラーを求めている現実に直面し、監督もヒトラー役の俳優も戸惑ったというインタビュー記事を読んだ」

コーヒーがあまりに濃いので、ミルクを注いだ。そして、加えた。

「イギリスがＥＵを離脱した根本は移民問題だよ。移民問題の根は深く、ＥＵを解体するかも知れない」

私の話をじっと聞いていたアリョーナはコーヒーをスプーンでかき回しながらぽつりと言った。

「もしかして移民問題を仕掛けたのもプーチンかも……」

２０１６年８月１日

テレビジャーナリスト殺される

カフェでアリョーナとＥＵ解体危機について話し合った後、本やインターネットサイトでＥＵに関する記述を片っ端から読んだ。

ＥＵを家族に例えた話が面白い。ドイツが肝っ玉母さん、フランスが優柔不断なお父さんという。ギリシアやブルガリアは子どもたち。イギリスの演じる役がない。大国にもかかわらず、家庭に居場所がないという。

そんな居心地の悪さを感じながらも、ＥＵにとどまっていた。

しかし、そこに移民問題が絡み、国民投票となった。

「ＥＵにいれば、イギリスは滅亡する」と怪しげな団体が宣伝活動を猛烈に行い、国民は乗せられた。ＥＵ離脱が決まると、そういった団体はさっと影を潜めた。イギリスはこれからどこへ行くのだろう。

そんなことを思いながら、部屋のソファーで砂糖をたっぷり入れたミルクティーをゆっくり飲んでいた。

携帯電話が鳴った。アリョーナからだ。もう色っぽい妄想をすることなく、何か事件があったに違いないと考える。

電話を取ると、アリョーナは強い口調で言った。

「ロシアのテレビジャーナリスト、パーベル・シュレメトが殺されたわ」

「昨年2月に射殺されたロシア野党の有力指導者、ボリス・ネムツォフの友人だね」

「そう。車に爆弾が仕掛けられていたの」

「どこでだい？」

「キエフ市内よ。内縁の妻の車なので、彼女が狙われたのか彼自身が狙われたのか捜索中」

一息置いて聞いた。

「プーチンに楯突いている彼自身が狙われたんだね」

アリョーナは力強く言い放った。

「その通り。間違いないわ」

モナリザはプーチン？

2016年8月15日

マイダンにある本屋を気に入っている。広くて、あらゆるジャンルの本や雑誌が揃えられている。今の自分にとって必要な本を探しながら各コーナーをゆっくり歩く。プーチンのコーナーが設けられてある。数ある中で、びっくりするような特集をしている雑誌を見つけた。「プーチンは不老不死」と表紙に大きく書かれてある。

ページをめくると、非科学的な記事と写真で埋め尽くされている。１９２０年に撮影されたプーチンそっくりの兵士の写真、１９４１年に撮影されたプーチンそっくりの飛行士の写真。確かに似ている。

モナリザはプーチンを描いたものだという記述には笑いが込み上げてきた。

ほかにも、歴史上の人物の写真や絵画がページをめくってもめくっても出てきた。よくもこれだけプーチンそっくりの写真や絵画を集めたものだ。

最後には動物の写真まで出てきて、笑わせてくれる。

締めくくりは「プーチンは永遠に生きる吸血鬼だった」。ここまでくると、何でもありだ。

顔を上げると、青年実業家アルトゥールが立っていた。

「やあ、元気かい。久しぶりだな」

声をかけると、アルトゥールは驚いた表情で握手を求めてきた。

「こんなところでばったり会うなんて、嬉しいな」

硬い握手をし、アルトゥールに聞いた。

「この本屋へはよく来るのかい」

「いや、時々だよ。今、ドネツクへ行く準備をしているんだ」

「大丈夫なのかい」

「これからますます戦争が激しくなるよ。包帯など、足りない物資を我々で持っていくんだ。1カ月ほどの逗留になりそうなので、本も持っていこうと思い寄ったんだ」

「十分気をつけるんだよ」

アルトゥールは大きく息を吸って「ありがとう」と言った。

ロシアがクリミアに対空ミサイルシステム配備

2016年9月1日

久しぶりの再会で積もる話もあり、書店を出てアルトゥールと近くのカフェへ移った。カフェへ着くまで、歩きながらも話が弾んだ。

カフェに入ると、テラス席を選んだ。昼下がりのカフェはすいており、私たちの他には2組のカップルしかいない。

コーヒーで再会を祝うのも野暮なので、濁りビール（0・5リットル）を2杯注文した。

「ウクライナのために」

勢いよくグラスを合わせ乾杯。2人とも同じ言葉を発したので、驚き、互いに目を丸くした。

「クリミアにウクライナの特殊部隊が爆弾を持ち込もうとして、失敗してしまったのはどういうことだい」

私がアルトゥールに疑問をぶつけると、彼は首を横に振りながらこう答えた。

「あれはロシアの茶番劇だよ。ウクライナの特殊部隊はそんなヘマはしないさ」

「どういうことだい」

「同じ日に、ロシアはクリミアに最新鋭対空ミサイルシステムS400を配備しただろう。これがすべてを物語っているよ」

「では、ロシアの自作自演なんだね」

「その通り。自分たちでウクライナ特殊部隊を装って爆弾をクリミアに持ち込んだ。待ち構えていたＦＳＢ要員と戦い、捕らえられた。これがあらましだよ」

「ロシアは2人の死亡者が出たと発表しているが、そこまでするかい」

アルトゥールは、嘲笑まではいかずとも半ば呆れたような表情になった。

「甘いな、ロシアだよ。それぐらいは序の口」

ビールを喉に流し込むアルトゥール。私も真似て残り3分の1を一気に飲み干した。

2016年9月15日

新幹線でドニプロへ

ドニプロペトロフスク国立大学で日本文学を教えているタラス教授から電話があり、特別講義をすることになった。テーマは任された。

現在、日本人教師がおらず、ぜひとも生の日本人の講演会を開こうということになったようだ。

電子メールで送られてきた切符を持ってキエフ中央駅へ。早朝にも関わらず、賑わっている。

ホームへ出ると、程なくして新幹線が入ってきた。ヒュンダイ製の真新しい電車だ。1メートル80は優にある女優のような車掌がドアの前に立っている。笑顔で「ようこそ」。ウクライナも変わったものだ。10年前ならこんなサービスは夢のまた夢だった。

静かに走る車両。ゆったりとした2人掛けのシートで脚を伸ばせるのが嬉しい。隣の席は空いており、靴を脱いで胡坐《あぐら》をかいた。

車内にＷｉ－Ｆｉの表示を見つける。ウクライナはＷｉ－Ｆｉの設置が進んでいるが、新幹線にまで付いているとは予想外だ。

iPhoneを立ち上げWi-Fi接続をする。サファリ（検索用アプリ）を開いて大学のあるドニプロペトロフスクという街について情報収集する。反ロ感情が高まり、この5月にドニプロと改称されている。程なくして、Wi-Fiが切れた。上手く繋がらない。技術が追いついていないのだろう。

車窓に流れる長閑《のどか》な景色を眺めていると、今現在東ウクライナで戦争が繰り広げられているということが幻のように思えてくる。

しばらくすると、ワゴン販売が始まった。

若い男性2人がワゴンを運んでくる。ホットコーヒーを注文。ぎこちない手つきでコーヒーを紙コップに注いでくれる。どちらかが仕事始めでぎこちないなら分かるが、2人とも同程度だ。そこがウクライナらしいのかもしれないと思いながら、コーヒーにたっぷりミルクと砂糖を入れてすすった。

ドニプロジェレジンスク駅で降りる

2016年10月1日

キエフから約6時間。揺れの少ない快適な列車の旅だった。ドニプロペトロフスク駅の一つ手前、ドニプロジェレジンスク駅で降りた。

タラス教授は友人のビクトルさんを迎えに寄こした。ビクトルさんはこの街に住んでいる。ここは右派セクターの創設者ドミトリー・ヤロシの出身地でもある。

電車を降りると、ビクトルさんが笑顔で立っていた。握手し、ハグ。電話では話をしていたが、久ぶりの再会だ。彼はウクライナを代表する銀行の役員で、裕福な暮らしをしている。身なりを見ただけで分かる。上から下までブランドに包まれている。包まれているといっても、シンプルなポロシャツにジーパン、ソフトシューズだが、すべて高級感がある。

「あなたのような偉い人が迎えに来てくれるなんて、恐縮します」

「ぜひあなたにお会いしたくて、タラス教授に申し出たのです」

駅前にはトヨタの黒いランドクルーザーが停まっている。車の後ろを開け、カバンを積み込む。

「お腹が空いたでしょう。まずは腹ごしらえをしましょう」

そう言って、車を出した。ドミトリー・ヤロシの出身地という情報が頭に入っていたので、どんな街なのかと内心構えていたが、平凡な地方の街並みだった。

数分走ると、洗練されたレストランが見えた。街並みとはいささか馴染まない佇まいだ。中へ入ると、近未来的な内装のイタリアンレストランだ。店員は男女数人ずつおり、皆スマートな笑みを絶やさない。こんな店は10年前のウクライナでは皆無だった。時代の変化を改めて感じた。

ビクトルさんがブロンドの受付嬢に小さく微笑んで冗談を投げた。

「日本人が来たんだ。和食はあるかい」

この冗談には日本人を連れてきた自慢も多少含まれている。

受付嬢はにっこりして返した。

「残念ながら、本日は和食をご用意しておりません」

ビクトルさんは、またやられましたという顔を私に見せた。

第3次世界大戦は既に始まっている

２０１６年10月15日

イタリアンレストランの料理は、店の雰囲気と同じく洗練されている。まずはサラダが運ばれてきた。真っ白の皿に緑と赤の野菜がバランスよく盛り付けられている。野菜を口に含むと、甘酸っぱいドレッシングがパッと口の中に広がる。今までに味わったことのないさっぱりした味だ。黒パンにもよく合う。

ペリエで喉を潤しながら、食事を楽しむ。こんな片田舎でここまでのイタリアンが出るとは正直驚いた。食事が美味しいと、会話も弾む。深刻な内容の会話でも輝いて響くから不思議だ。

ビクトルさんはナプキンで口元を拭いながら、呟くように言った。

「第３次世界大戦はウクライナで始まりましたね」

慌てて、私は問うた。

「ドンバスでのウクライナとロシアの戦闘がですか」

「そうです。長い長い前哨戦です」

インテリらしくビクトルさんは静かに答えた。

その後、２人の間には静かな時が流れ、カンツォーネのＢＧＭが場をつないだ。名は知らぬがベテラン男性歌手の歌声がレストランにほのかに響く。フォークとナイフが皿に当たる音を和らげる効果もあり、安心してイタリアンをほおばった。

メインの鶏肉料理を平らげるころには、お腹も頭もいっぱいになっていた。

食後のエスプレッソを飲みながら、ビクトルさんは語りかけるように言った。

「あなたの国の隣でも不穏な動きがありますね。北朝鮮がミサイルを発射する前に韓国が攻め入るのではないでしょうか」

頷きながら私は聞いていた。

「そうなれば、米国が韓国の援護射撃をするでしょう。米国が出れば、日本の自衛隊も動くでしょう」

2人ともエスプレッソを飲み干し、追加注文した。

私たちはコサック

2016年11月1日

2杯目のエスプレッソを味わいながら、ウクライナが今現在どのような位置に置かれているかというテーマで話し合った。エスプレッソ2杯はすぐになくなり、ペリエを追加で注文した。日はまだ高く、ビールやワインを飲むには早い。

それに、この後は学生を前に講義をしなければならない。

話題は4者会談に移った。停戦が実現しない現状に業を煮やし、ドイツ、フランスが4者会談を提案した。

ベルリンで、ドイツのメルケル首相、フランスのオランド大統領が仲介役で、ポロシェンコ大統領とプーチン大統領が話し合った。10月19日のことだ。

「これで停戦は実現するのだろうか」

そんな私の問いに、ビクトルさんは首を横に振った。

「ただのポーズですね」

同じことを考えていたので、やはりそうなのかと得心した。同時に、かすかな望みを抱いていた自分が愚かしく思えた。

「これからウクライナはどうなるのでしょう」

不安な気持ちをぶつけると、ビクトルさんは胸を叩いて笑顔で答えた。

「大丈夫。私たちはコサックです。日本流に言えば、武士です。最後の1人になるまで、戦います」

珍しく大きな声になって、断言した。

「私たちは負けません。ロシア人は私たちほど根性が座っていません。最後は必ず、ウクライナがロシアを制します」

ペリエのお代わりを持ってきたウエイトレスが手を叩き、ビクトルさんを頼もしそうに見つめた。

ドニプロペトロフスク大学で講義

２０１６年11月15日

腹ごしらえができたので、ドニプロペトロフスク大学へ向かう。ビクトルさんの運転は滑らかで、心地いい。イタリアンで満たされた腹は脳に睡眠の信号を送るようだ。うとうとしていたが、いつの間にかドニプロペトロフスク大学に着いていた。時計を見ると、1時間が過ぎていた。

ぼんやりした頭で建物に入り、教室へ。

白髪で長身のタラス教授が笑顔で迎えてくれる。

「遠方のところ、よくいらして下さいました。心よりお礼申し上げます。久方ぶりの再会を嬉しく思います」

ハグして握手。再会を喜びあった。

「日本語を学ぶ学生たちが先生をお待ちしています。主に4年生ですが、他の学年も混ざっています」

教室では30人ほどの学生が笑顔で迎えてくれた。9割方女子学生だ。

日本の文学事情について話をして欲しいというリクエストなので、早速質問から始めた。

「どんな本を読んでいますか」

栗毛で鼻筋の通った女子学生が手を挙げる。

「今、私は『源氏物語』を読んでいます。分かりにくいところがあるので、教えていただけませんか」

そう言って、古い上製本を開いて差し出した。

見て、驚いた。活字になっているものの、原文だ。学生のときに習った古文の知識でしどろもどろ答えたが、納得してもらえたか心許ない。

次に、ノッポの男子学生が手を挙げた。

「私は村上春樹とよしもとばななを読んでいます」

想定していた答えに胸をなでおろした。

村上春樹とよしもとばななの作品の特徴を解説すると、男子学生は満足した表情で、「大変参考になりました。誠にありがとうございます」と深く頭を下げた。

トランプはウクライナを売るか

２０１６年12月1日

ドニプロペトロフスク大学での講義を終えて、近くにあるウクライナレストランへ。タラス教授、ビクトルさん、そして4年生のマリアちゃんとテラス席に着いた。ビクトルさんがおすすめ料理を選んでくれた。ここはビクトルさん一押しの店だ。

まずはクワスで乾杯。一口飲んで、目がぱっちり開いた。濃くて喉に刺さる。しかし、喉から胃袋に入るころには口の中に何とも言えない香ばしい味が広がる。

もう一口飲む。さらに口の中にクワスの香りが渦巻く。もう一口、もう一口。癖になる。気付くと、頬が火照っている。度数が高いクワスは初めてだ。クワスは甘酸っぱい炭酸飲料で、アルコール度数はほぼゼロだ。日本の麦茶のようにウクライナでは飲まれている。これまでいろいろなところでクワスを飲んできたが、初体験のクワスだ。ボルシチ、メーンの鶏料理すべてが濃い味付けだ。濃い味の好きな私にとって堪らない。ほおばりながら親指を立ててビクトルさんに「おいしい」合図を送る。タラス教授、マリアちゃんも目を丸くしながらほおばっている。

ハンガリーに近い西ウクライナでは濃いウクライナ料理を食べたが、それ以来だ。食後チャイを飲みながら、マリアちゃんが愛嬌のあるアクセントの日本語で呟くように言う。

「ノーベル文学賞はボブ・ディランに決まり、アメリカ大統領はトランプに決まったわ。世界はこれからどうなるのでしょう」

タラス教授が教室で教えるように語る。

「ボブ・ディランは毎年のようにノーベル文学賞が期待されていました。トランプが大統領になるというのはマイケル・ムーア監督がずっと力説していました。多くの人が鼻で笑っていましたけれど」

ビクトルさんが続いた。

「マリアちゃんの心配はよく分かります。ボブ・ディランはいいとして、トランプがアメリカ大統領になると、ウクライナは見捨てられるかもしれません」

タラス教授が追い打ちをかけた。

「見捨てられるどころか、ロシアに売られる心配があります」

マリアちゃんは沈んだ顔になり、瞳を潤ませた。

子殺しまで行われるノヴォロシア

２０１６年12月15日

固まった空気を和らげようとして、ビクトルさんは小声で言った。

「巷では『１人のフイロならまだしも、２人のフイロが生まれると、世界は破滅する』と言われていますよ」

マリアちゃんが顔を赤らめ俯いた。フイロとは男性の性器を表す言葉で、馬鹿にするときに使う。ウクライナでは、プーチンをフイロと呼ぶ。プーチンと手を結ぼうとする米国次期大統領トランプのこともフイロ扱いだ。

タラス教授は語気を強めて言う。

「ロシアと米国が手を結んで世界を滅亡に導いたとしても、ウクライナは最後まで戦い、生き残ります」

マリアちゃんは身を乗り出してその言葉を受け止める。

タラス教授は続ける。

「ロシアはすでに内部崩壊が始まっています。ロシアは外敵には強いのですが、内部は脆いのです」

ビクトルさんは何かを思い出すように目を閉じて言った。

「ノヴォロシアと勝手に名乗るドネックでは、子殺しまで行われています」

マリアちゃんは目をパチクリさせる。

「子どものいない夫婦が15歳の男の子を養子として孤児院から引き取りました。25歳になった今年、寝込みを襲って刺し殺したのです」

マリアちゃんは「どういうことなのですか」と目を赤くして聞いた。

「真実に目覚めた里子が『ウクライナが正しい』と主張し始めたのです」

マリアちゃんは言葉を失った。

タラス教授は呟くように言葉を漏らした。

「そんな理由で……」

カウントダウン

２０１７年1月15日

大晦日。ドニプロペトロフスク滞在中にセルゲイ君から電話があり、カウントダウンはキエフのセルゲイ君宅ですることに。彼はラジオのＤＪとして活躍しており、年越しはミュージシャン仲間と朝まで飲むという。なぜかミュージシャンではない私にまで声がかかった。

夜の9時過ぎにシャンパンとチョコレートを持ってセルゲイ君の家を訪ねた。ドアを開くと、すでに数人の男女が飲めや歌えのどんちゃん騒ぎをしている。さすがミュージシャンの集まりだ。ギターを弾く者、トランペットを吹く者、高音で歌う者が入り乱れているが、心地よいサウンドで耳に入ってくる。

大音量だ。日本では隣近所から苦情が出るが、ウクライナではない。どんなに大きな音を出しても、どんなにドタバタしても、下の部屋からも横の部屋からも苦情は一切ない。大晦日だから特別というわけではなく、普段からそうだ。

「待っていましたよ」

セルゲイ君が人懐っこい笑顔で迎えてくれた。奥さんのニーナが大きなお腹を抱えながら満面の笑みをたたえている。この夫婦の笑顔は最高だ。会うたびにそう思う。

シャンパンとサマゴンを数杯飲んでいい気分になり、日本のポップスを歌った。ギタリストが歌に合わせて伴奏してくれ、乗りに乗った。

気づくと後少しで年越しだ。

皆、グラスにシャンパンをなみなみと注ぎ、カウントダウンを待つ。さ、いよいよカウントダウン。10、9、8……3、2、1。新年おめでとう。ロシアを蹴散らし、ウクライナに平和が訪れるよう、口々に叫びながら祈った。外では花火が打ち上げられ、夜空をきらきらと照らしていた。

マランカで大賑わい

2017年2月1日

ロシアとの戦争が始まり3年が過ぎた。2013年11月、当時の大統領ヤヌコーヴィチがEU入りをやめ、ロシアに寝返ったことに対して学生たちが立ち上がったのが発端だ。こんな顛末になろうとは誰一人として考えていなかった。国内が混乱している隙に付け込み、プーチンはクリミアを奪い取った。それだけでは飽き足らず、東ウクライナに進駐。卑怯な手を使ってウクライナを攻め続けている。

歴史を振り返ると、ソビエト社会主義共和国連邦成立まで、4年にわたりウクライナの若者たちはボリシェビキと戦い、そして破れた。この苦い経験があるので、今回ウクライナはロシアに負けるわけにはいかない。最後の1人になるまで戦う覚悟ができている。

ロシアとの戦争でウクライナ人の民族意識が高まっている。街にはメイド・イン・ウクライナの店ができ、人びとはウクライナ産のものを選んで買うようになった。

ウクライナに昔からある祭の復活も盛んだ。正月はマランカ。この世に戻ってくる先祖を迎える祭で、戦争前は田舎でしか行われなくなっていた。今年はキエフでも盛大に行われ、大賑わい。

おどろおどろしいマスクを被った男たちが、車に乗ったり練り歩いたりしながら、キイキイ声を発している。

後ろの方で大笑いしている人集りがあるので振り向くと、プーチンのマスクを被った男とトランプのマスクを被った男が抱き合ってディープキスしている。

「トランプもプーチンの男色相手になってしまった」

あちらこちらからこんな声が聞こてくる。とうとうアメリカもロシアの手下になってしまったと人びとはため息混じりに笑う。

アブデーフカで戦闘激化

２０１７年2月15日

燻っていた炭から炎が上がるように、ドネツク州のアブデーフカで戦闘が激化している。1月29日ロシア軍が暴れ出し、8人が死亡、29人が負傷。

トランプを手下にしたプーチンは、ニタニタしながら動き出したのだ。マランカで見たプーチンとトランプのディープキスはこのような形で現実化したのかと脳裏を過ぎった。

テレビでは逃げ惑う老人や子どもが映し出されている。人口2万人のアブデーフカは地獄のようだ。食い入るように画面を覗き込んでいると、ドアのベルが鳴った。ドアホンを取ると、大晦日のカウントダウンを一緒にしたセルゲイ君の声がした。

ドアを開けると、肩で息をする彼が立っている。

「嫌な予感がしていましたが、的中しました。ロシアの攻撃が激しくなっています。戦いに向かう友だちを応援するために曲を作ったので、ぜひ聞いてください」

部屋に入ってもらい、コーヒーを淹れた。

「まずは体を温めてください」

2口ほどコーヒーを口にするや、セルゲイ君はポケットからiPodを取り出し、イヤホンを接続すると、私の耳に押し込んだ。

激しい音楽が鼓膜に響いた。ビートが効いた縦ノリの演奏に合わせて野太い男性が叫ぶように歌う。心臓に突き刺さるインパクト。まさに戦士の士気を鼓舞する音楽だ。しばらく聴いていると、不思議な力が漲ってくる。

知らず識らずのうちに目が開き、眼球が飛び出しそうだ。そんな私の目を見て、セルゲイ君は得意げに微笑んだ。

「いい曲でしょう」

私は何度も首を縦に振った。

鼓膜を震わす音楽は私と一体化し、やがて恐れや悲しみのない空っぽの状態になっていた。

2017年3月1日

ドンバスで「祖国防衛者の日」

セルゲイ君は控え目ではあるが誇らしげに言う。

「僕ができることはこれぐらいしかありません。腕っ節は弱く、性格は臆病なので、最前線で戦う勇気がないのです。しかし、音楽で戦士を勇気付けることはできます」

私は大きく頷いて、相槌を打つ。

「君の作る音楽は、確かに計り知れない力を持っています。人の心を強くします」

「ありがとうございます」

私はさらに続けた。

「強くするだけでなく、無にするのです」

目を丸くして、セルゲイ君は尋ねた。

「それはどういう意味ですか」

「無になった心は恐れや不安を感じなくなります」

セルゲイ君は右手の親指を立ててポーズを作った。

「もう一杯コーヒーはいかがですか」と聞くと、「お願いします」と礼儀正しくカップを返した。

2杯目のコーヒーを飲みながら、セルゲイ君は言う。

「戦争が長引き、政府に不満を持つ人も増えてきています。ポロシェンコ大統領にもっとがんばってほしいものです」

「光熱費が高騰し、マイダンや最高議会前では抗議集会が盛んに行われていますね」

「あの中に僕の友だちもたくさんいます」

「1日も早くロシアを追い出して、戦争を終わらさなければなりませんね」

「ドンバスでロシア軍は2月23日の『祖国防衛者の日』を祝ったようですが、冗談も休み休みにしてもらいたいです。他人《ひと》の国で祝うのではなく、自国へ帰って祝えばいいではないですか」

顔を赤らめて力説するセルゲイ君を見ていると、臆病者の影は微塵もなく、勇者の風格さえ感じられた。

ウクライナにおける日本年

２０１７年3月15日

東京に住むピアニスト、山野秋子からメールが入った。高校時代のクラスメイトだ。東京で活躍していると風の便りで聞いていたが、突然メールが入ったので驚いた。どうして私のことが分かったのだろうか。彼女も風の便りでウクライナにいる私のことを知ったのだろうか。

旧姓のままだったので、すぐに分かった。

「ご無沙汰しています。山野秋子です。覚えていますか」

前置きが長々と書かれていた。その後に、短くこうあった。

「今年はウクライナにおける日本年ということで、ウクライナから招かれています。ホテルと食事は用意されるようですが、往復のエアチケットは出ないようです。私の他にも、演奏者や劇団員20人が招かれています」

そこまで読み、彼女との再会を思い浮かべ、心が静かに揺れた。さらに、読む。

「ポルタワ州のゴーゴリ劇場の舞台に立つようなのですが、ポルタワ州のこともゴーゴリ劇場のことも情報がなく、不安に思っています。教えてください」

数年前に行った古びたゴーゴリ劇場を思い出した。キエフではなく、なぜポルタワなのかと疑問に思いつつ、何人かの友人に電話で聞いた。

キエフ大学で教鞭をとる友人、日本センターのスタッフ、バレリーナ……。誰もがぼんやりとしか知らない。日本年もゴーゴリ劇場も。

仕方なく、日本大使館に聞くと、日烏外交樹立25周年事業という。しかし、余りにも盛り上がっていない。

彼女にどう返事をしようか。ウオツカでも飲んでから文面を考えようと、台所に入った。

2017年4月1日

ズベルバンク閉店に

ウクライナでのピアノ演奏を楽しみにしている山野秋子をなるべく落胆させまいと、表現を柔らかくしながら文章を練った。

不特定多数に対する文章はここまで気を使うことはない。やはり、対象者一人に対する手紙が最も難しい。これは電子メールになっても同じことだ。作家の手紙が全集などに収録されることが多いが、作家本人の立場になると、どうだろうか。草葉の陰で「それは載せないで」と叫ぶ者も少なからずいるだろう。もっとも愛読者にとっては、たまらないが。日記も同じだ。

中には、将来全集に入るだろうと夢想しながら手紙や日記を書く作家もいるだろうが、数としては稀だ。

そんなことが頭の中を駆け巡った。なんとか当たり障りのない文章がまとまり、送信ボタンを押した。これで彼女が納得してくれればよいのだが、と一抹の不安を抱えながら。

ウオツカの口直しに紅茶でも飲もう。

ガラスのポットに紅茶の茶葉を入れ、沸騰したお湯を少し高めから入れる。ポットの中でジャンプする茶葉を見ていると、心が落ち着く。3分経ったところで、温めたカップに入れる。一口含む。まずまずの出来だ。

紅茶を飲みながら、テレビのスイッチを入れる。ズベルバンク閉店のニュースだ。ここまで来たか。ズベルバンクはロシアの銀行で、ウクライナに150店舗ある。個人顧客1万人、法人顧客3万7千社を抱える。ウクライナ人はロシアの銀行をウクライナから追い出した。

ロシア崩壊のニュース続々

2017年4月15日

ロシアの内部崩壊は確実に進んでいる。

3月26日、ロシアの野党指導者アレクセイ・ナバリヌイが呼びかけ、モスクワで反政府デモが起こった。拘束者は千人以上。モスクワだけでなく、ほかにロシア国内83ヵ所でデモが起こり、2千人以上が拘束された。

ナバリヌイがネットでメドベージェフ首相の贅沢三昧な生活を公表し、腐敗してると批判したのが事の起こり。視聴回数が1150万回を超え、人びとが立ち上がった。

来年3月に行われるロシア大統領選挙に出馬の意欲を見せるナバリヌイがプーチンに喧嘩を仕掛けたのだ。

さらに、4月3日、プーチンの出身地であるサンクトペテルブルクで地下鉄爆破テロが起こり、14人が死亡。しかも、プーチン滞在中のこと。自爆テロはキルギス出身の22歳、アクバルジョン・ジャリロフトが行ったと判明。

テレビをつけると、ロシア崩壊のニュースで溢れている。新聞や雑誌なども同じだ。日々報道されるニュースから目が離せない。

さらに、4月6日に化学兵器を使ったアサド大統領への対抗措置として、トランプ米大統領はシリアにミサイル攻撃を行った。地中海の洋上に展開する2隻のアメリカ艦船が59発の巡航ミサイル「トマホーク」を発射したのだ。

アサド政権の後ろ盾であるロシア。そのトップであるプーチンは、想定外の出来事に怯んだ。

「トランプとプーチンは『ホモだち』ではなかった」という誰かのブログを見たとき、思わず吹き出した。

2017年5月1日

ユーロビジョンにロシア代表出場禁止

5月、いよいよユーロビジョンがキエフで開かれる。1956年から続いているヨーロッパ音楽祭だ。昨年スウェーデンの首都ストックホルムで行われ、「1944」を歌ったウクライナ人歌手ジャマラが優勝したので、今年の開催地がウクライナに決まった。

今年は62回目。欧米各国でコンテストが開かれ、各国代表が選ばれた。ユーロビジョンのファンは世界中におり、1億人以上。チケットは販売開始と共に売り切れ。

チケット発売日、ユーロビジョンのサイトを開いた。朝から忙しくて、サイトを開いたのは夜遅くなってからだった。

サイトを開いた途端、言葉を失った。5月13日21時から始まる決勝戦のチケットは既に完売。自らののんきさを恨めしく思った。

頭を切り替え、14時から始まるリハーサルのサイトを開いた。まだ少し残っている。ほっとした。すぐに空いている席をクリックし申し込み、カードで支払った。その間にも、空席がどんどんなくなっていく。

安心すると、1日の疲れがどっと出た。冷蔵庫から濁りビールのペットボトルを取り出し、グラスに注ぎ一気に飲んだ。

テレビをつけると、ユーロビジョンの話題が目に飛び込んだ。ロシア代表の歌手、ユリア・サモイロワが出場禁止となった。脊髄性筋萎縮症を患い「車椅子の歌手」として知られている。ウクライナ政府の許可を取らずにクリミア半島に入ったのが原因という。

DJのセルゲイ君から電話があった。

「ユリアが来れなくなってよかった。もし来たら、大変なことになる。ドンバスでロシアにやられ車椅子生活を送る帰還兵が暴れ出して止められなかったよ」

差別を受けるクリミア・タタール人

2017年5月15日

フレシチャーティク通りのカフェで、タタール人のマリアとカプチーノを飲みながらまったりとした時間を過ごす。ウクライナ国内で戦争が繰り広げられているなんて、なんだか嘘のようだ。

作家志望のマリアは大人びた口調で世界の潮流を得意げに語るが、まだ初々しい少女の部分が見え隠れし、愛らしい。それもそのはずで、21歳を迎えたばかりだ。キエフ大学で日本文学を学んでいる。

私が現代日本文学についてキエフ大学で特別講義した折、最前列で食い入るように聞いていたのが彼女だ。村上春樹についてもっと聞きたいというので、大学横の小さなカフェへ場所を移した。啐啄同時とはよく言ったもので、黒い瞳を輝かせながら一言も漏らすまいと聴くので、こちらもどんどん喋り、気が付くと外が暗くなっていた。それからどちらが誘うわけでもなく時折カフェでお喋りしている。

マリアと会うのは久しぶりだが、昨日も会ったような感覚だから不思議だ。

歌手ジャマラがユーロビジョンで優勝してから、社会派小説を書くようになったマリア。それまでの叙情的な表現からガラリとスタイルを変えた。

「国際司法裁判所は、クリミア半島でロシアがタタール人を差別していると認定したわ」

こういった発言をするときのマリアは水を得た魚のようだ。

「クリミア・タタール人の民族組織メジュリスの活動制限を停止し、ウクライナ語による教育機会を与える仮保全措置をロシアに命じたわ」

「水を差すようだが、『ロシアによる親ロ派勢力支援の認定』を証拠不十分として退けたのは残念極まりないね」

先ほどまでの勢いは急になくなり、肩を落とした。

「政治家の駆け引きの犠牲になるのは、いつの時代も普通の人だわ」

2017年6月1日

12年ぶりのユーロビジョン

地下鉄リヴォベレージュナ駅でマリアと待ち合わせ、国際エキシビション・センターへ向かう。長蛇の列。車道は車で溢れかえっている。国際エキシビション・センターへ続く道は、色とりどりの服装をした人がお喋りしながら歩いている。皆、ユーロビジョンに向かっている。12年ぶりのキエフでの開催だ。

前回は2005年に行われた。ウクライナ人歌手ルスラナが2004年に優勝したので、キエフで開かれた。カルパチア出身の彼女はワイルドな踊りと歌で人びとを魅了した。

行列の中には派手な仮装をする者、自分の国の国旗を頬に描いている者、見ているだけで楽しい。ウクライナ国内だけでなく、いろいろな国から来ている。しかしながら、アジアからの人は見当たらない。

「夜9時から始まるファイナルのチケットを取れなくて、ごめんね」

そう言うと、マリアは小さく首を横に振る。

「セミファイナルで十分だわ。2時から始まるので、夜遅くならなくて済むしね」

奥ゆかしいマリアに愛らしさを感じる。

会場の入口は1時間半前というのに、人で溢れかえっている。国際空港なみの厳しいセキュリティーチェックだ。

会場に入ると、売店が並んでいる。グッズの売店でマフラーとキャップを買う。マリアの首に鮮やかな水色のマフラーを掛けると、ほんのり頬を染めて「ありがとう」と微笑んだ。

マフラーと同じ色のキャップを私が被ると、

「よく似合うわ」

そう言って、マリアは私の腕に手を絡めた。一緒にホールへ入ると、会場はすでに賑やかだ。私たちの席は舞台から見て左、A席。席を見つけ座るや否や、コンサートが始まった。

ポルトガル代表が観客の心を掴む

２０１７年６月15日

各国の優勝者が次々と舞台に上がって歌う。洗練されたインパクトのある歌、歌、歌。会場は歌声と観客の歓声で割れんばかり。

マリアも興奮して、私の手をギュッと握る。まだあどけなさが残るその柔らかな感触に心地よさを感じる。握り返すと、はにかんで頬を染めた。

舞台は大きな炎が何本も上がったかと思うと、次はステージいっぱい火の粉のシャワーだ。火事にならないかとヒヤヒヤしながら歌を聞く。

かと思えば、小さなプールが用意され、男のダンサー2人が踊りに踊る。

舞台転換の素早さ、バックに映し出される映像の華やかさに目をパチクリさせていると、マリアはからかうような仕草で笑う。

ポルトガル代表の歌手、サルバドル・ソブラルが突き出た舞台に立つと、会場が一瞬静寂に包まれた。観客の心をしっかり掴んだところで、静かに歌い始める。ポルトガル語で歌っている！　他の歌手は皆英語なのに……。英語と違い、エモーショナルだ。

大人の色気たっぷりの歌声にマリアもうっとりしている。曲名は「ふたりの愛」。彼が優勝すると直感的に思った。

歌い終わった後、喝采と拍手が鳴り止まなかった。

全ての歌手が歌い終わり、ゲストタイム。昨年の優勝者ジャマラが美声を披露。続いて、12年前の優勝者であるウクライナ人歌手ルスラナが舞台に上がると、大歓声が起こる。激しい踊りと歌で会場を盛り上げる。

次に若者に絶大な人気のあるウクライナ人歌手オヌカが登場。ウクライナ伝統楽器と最新の電子音楽を組み合わせた近未来の音楽だ。

マリアもオヌカの大ファンで、一緒に歌っていた。

今年に入り670人の死傷者

2017年7月1日

ユーロビジョン翌日、インターネットを見ると、やはりポルトガル代表のサルバドル・ソブラルが優勝していた。会場で心打たれ、優勝だと直感的に思った自分の耳が誇らしく、思わず耳たぶをそっと引っ張った。

インターネットのニュースを見ていると、スキャンダルが大きく取り沙汰されている。ジャマラが歌っているときに、オーストラリア人男性が舞台に上がり、お尻を見せたのだ。馬鹿げたことをするものだ。常習犯らしい。警察に身柄を拘束されたが、すぐに釈放された。北朝鮮だったらこうはいかない。ロシアのテロ攻撃がなかっただけよかったと気分を変えてコーヒーを淹れた。二日酔いの胃袋に突き刺さる。ミルクと砂糖を入れてまろやかにしよう。

昨日は久しぶりに飲み過ぎた。ユーロビジョンの後、マリアとウクライナ料理店に入った。サーロと緑のボルシチで腹を満たした後、ウオツカで乾杯。小娘を前に格好をつけたわけではないが、グイグイと何杯も胃に放り込んだ。

隣にいた小太りのおばさんが夫らしき初老の男性に話すのを聞いていると、胸が痛み、ウオツカが進んだのが本当のところだ。

「アウディーイウカでの戦闘で亡くなった息子はあの世でどうしているのかしら」

男性は黙って聞いている。女性はさらに続ける。

「この戦争が始まった頃は3年も続くとは思っていなかったわ」

男性がぽつりとこぼした。

「今年に入り、ドンバスではロシアからの攻撃を8千回以上受け、670人の死傷者が出たというニュースを新聞で読んだ。悲しい思いをしているのは、私たちだけではないよ」

英霊を讃える

2017年7月15日

息子を亡くした夫婦の会話が耳に入り胸を痛めたのは、私だけではなかった。マリアのテンションも下がり、2人の間に気まずい空気が流れた。

しばらく無言のまま食事をしていたが、マリアは思い切ったように右目を閉じてウインクした。そして、隣席の夫婦に話しかけた。

「ウクライナのためにご子息は立派に戦われたのですね。英雄ですわ。ご子息に献杯しましょう」

そう言うと、自分の持っているウオツカのグラスを高く掲げた。

「英雄のご子息に！」

夫婦は目を丸くしてぽかんとしている。しかし、大きな瞳から大粒の涙を流すマリアを見て、夫婦の表情は驚きから喜びに変わったのが見て取れた。

「ありがとう」

夫人はマリアの手を取った。

「そう、息子はウクライナのためにロシアと戦って散ったの。犬死にではないわ。讃えるべきだわね」

妻の笑顔を見て安心したように頷く初老の男性。ウオツカの入ったグラスを掲げた。

「ウクライナのために！」

映画の1コマのような光景をあっけに取られてぼんやりと眺めていた私は、その中に脇役として登場していることににわかに気づき、立ち上がり杯を掲げた。そして、一気に飲み干す。文字通り「乾杯」だ。

空になったそれぞれのグラスに夫君がなみなみとウオツカを注ぐ。

夫人が「ウクライナに栄光を」と杯を掲げる。私が「英雄に栄光を」と続いた。

一気に流し込んだウオツカが胃の粘膜を溶かすかのように突き刺す。唐辛子と蜂蜜入りウオツカだ。

我々4人の乾杯劇場を見ていた観客、つまり店の客が皆立ち上がり、拍手を送る。そして、めいめいがグラスを掲げ、「英霊のために」「ウクライナのために」と雄叫びを上げた。

核兵器さえあれば

2017年8月1日

乾杯劇の後、陽気になったマリアは「もう少しいいでしょ」と言って、赤ワインを注文した。夜も更けてきたので、そろそろマリアを家に帰した方がいいと思いつつ、「あと1杯だけだよ」と自分の分も追加した。

赤ワインで妖艶な輝きを放つグラスを合わせる。

「マリアの気遣いに乾杯！」

カルパチアワインの芳醇な香りが口内に広がり、鼻に抜ける。西ウクライナのカルパチア山脈を歩いた思い出が蘇る。静かな道を歩いていると、草木の香りに包まれ、うっとりとする。道を我が物顔で歩く牛、傍らを歩く老女。牛の首に掛けられた鈴が鈍い音を鳴らし、木霊する。

画家であったらこの風景を描けるのにと悔やみつつ、コンパクトカメラで撮影する。カメラの画面に映し出された写真は、目で見るよりも随分貧弱で色褪せている。

写真家であったら目で見たとおりに撮影できるのにと自らの腕前を恨めしく思う。仕方なく、一編の詩をひねり出し、手帳に書いた。

そんな春の1コマを思い出しながら、赤ワインを飲み干した。

そこに、背が高く青白い顔をした青年が声を掛けてきた。

「少しご一緒させていただいていいですか。私はキエフ・モヒーラ・アカデミー国立大学の学生で、タラスと申します」

マリアを見ると、「いいわよ」という表情をした。

「どうぞ一緒にお話ししましょう」

そう言うと、彼は早速切り出した。

「ウクライナはやはり核兵器が必要だと思います。外国から客観的に見て、どう思われますか」

私が言葉に詰まっていると、タラス君は続けた。

「1994年のブタペスト覚書でウクライナは核兵器を奪われました。あのとき、ロシア・英国・米国を信用すべきではなかったのです。核兵器さえあれば、ウクライナはロシアに侵攻されることはありませんでした」

死者1万人を超える

2017年8月15日

「核兵器を放棄したからこそ、ウクライナは国際支援を受けることができたという肯定論者もいるよ」

タラス君に投げかけた。すると、タラス君は間髪を入れずに反論した。

「それは負け犬の詭弁です。核兵器さえあれば、ロシアに嘗められることはありませんでした」

マリアは得心したように目を輝かせた。

「そう。ウクライナはロシアに馬鹿にされているわ」

得意げにタラス君は続ける。

「7月19日にドネツクでザハルチェンコが新国家マロロシア樹立宣言をしましたが、こんな無茶な振る舞いができるのは、ウクライナが嘗められ切っているからです」

同年代の青年の熱弁に過剰反応したマリアは続いた。

「小ロシアを意味するマロロシアって嫌だわ。自分の国を小さいなんて、自虐的だわ。ソ連時代に戻るみたい」

熱弁を振るう若者たちを落ち着かせようと、私はこう切り出した。

「ロシアはマロロシアを認めていないと発表しましたよ」

思うような方向へ行かず、火に油を注ぐようなものだった。

タラス君は私の言葉を遮るようにこう言った。

「まったくの茶番劇ですよ。ロシアはドンバスにどんどん兵士を送り込んでいます。死者は既に１万人を超えました。避難者は１６０万人以上です。ドンバスでは、どこにも行けない老人や乳飲み子を抱えた女性が地下生活を送っています。第２次世界大戦よりもひどい状況です」

私は言葉を失い、薄汚れた天井を見つめるしかなかった。

ロシアのフェイクニュースを笑い飛ばす

２０１７年９月１日

「ロシアはクリミアをもぎ取り、ドンバスに進駐してきて、やりたい放題です。その上、フェイクニュースで自らの正当性を強調しているのは腹立たしさを通り越して、笑ってしまいます」

そう言いながらタラス君は頭を左右に振った。ビールをぐいぐい呷っているうちに、青白いタラス君の頬がほんのり赤みを帯びてきた。

マリアがいたずらっぽく割り込む。

「ロシアのフェイクニュースは馬鹿げていて、確かに笑ってしまうわね。ウクライナ人はロシア語を話す赤ちゃんを集めて生き血を吸っているというニュースを真面目な顔で報道するのは、喜劇としか言えないわ。そんな人、見たことありますか」

私に視線を投げかける。私は思わず吹き出してしまった。

「ニュースでそんなことを報道しているのかい」

マリアが目を丸くして言う。

「ウクライナ人って、おもしろいですよ。そんなフェイクニュースに対して、ロシア語を話す赤ちゃんの生き血は美味しいと言って、冗談話に仕立て上げ笑い飛ばすのよ」

「どんな極限状況でもユーモアを忘れないのは、さすがだね。では、北朝鮮の大陸間弾道ミサイル（ICBM）のロケットエンジンがウクライナ中部ドニプロの企業、ユジマシで製造されたというアメリカの報道も嘘なのかな」

タラス君は得意げな表情で言い放った。

「もちろんです。２０１２年、北朝鮮のスパイが秘密指定された同社のミサイル技術に関する論文を撮影し、拘束され、有罪判決を受けて豚箱に入っています。ロシアはこのニュースを捻じ曲げて、フェイクニュースを作ったのです。アメリカもまんまとやられました」

２０１７年９月15日

ウクライナと日本は合わせ鏡

タラス君が神妙な表情をして私の目を覗き込んだ。

「あなたは日本人なので、心の底ではウクライナで起こっていることを他人事として受け止めているでしょう」

私はむっとして、切り返した。

「私はウクライナにどっぷり浸かって生活をしている。ウクライナには友人も多く、他人事などとは爪の先から思っていないよ」

申し訳なさそうな表情になってタラス君は謝る。

「すみません。あなたは半分ウクライナ人でしたね」

半分という言葉に引っ掛かりを感じたが、大人の対応をしよう。黙って、グラスを差し出した。

「ウクライナと日本に乾杯！」

マリアは胸をなでおろした。

タラス君は一息置いて続けた。

「8月29日早朝、北朝鮮の弾道ミサイルが北海道上空を飛びましたね。さらにICBM搭載用の水爆実験が成功したというではありませんか」

話がどこへ向かおうとしているのかマリアは目を見開いて聞いている。タラス君はマリアに大丈夫というサインを視線で送ってから核心に迫った。

「野獣を前にして丸腰で勝てるわけがありません。日本は早く改憲し、身を守る準備をしなければなりません。ウクライナは世界の口車に乗せられて核武装を放棄したばかりにこのざまです。日本はウクライナから学ぶべきです。チェルノブイリと広島・長崎・福島、クリミアと北方領土。ウクライナと日本は地球の裏表に存在しますが、まさに合わせ鏡なのです。もはや、改憲の議論をする時間さえないのです。世界的な地獄絵はすぐ目の前に迫っています」

ウクライナの青年から発せられたまっすぐな言葉が胸に突き刺さった。心のモヤモヤが晴れ、ウクライナの大地で日本人としての自覚に目覚めた。

ロシア全土に脅迫電話

２０１７年10月１日

「この近くに若者に人気のおもしろいバーがあるので、行きませんか」

好奇心旺盛な私の性格を見抜いてか、タラス君が嬉しい提案をした。

「いいね。行きましょう」

間髪を入れずに快諾した。

「マリアはもう帰った方がいいよ」

「子ども扱いしないで。タラス君と同い年なのよ」

「君は女の子じゃないか」

「じゃ、保護者が家まで送ってくれればいいじゃないの」

そう言って、私の腕に絡みついた。化粧の香りと若い女体から発せられる甘い香りが混ざり合って、私の鼻腔に流れ込んだ。うっとりした気持ちになって、「仕方ないな、少しだけだよ」と言ってしまった。

「ありがとう」と言って私に抱きついた。豊満な胸が私の胸に当たる。まだ子どものように思っていたが、体はすでに大人の女だ。

店を出てしばらく歩くと、お目当てのバーに着いた。若者で賑わっている。足を踏み入れて、アッと声を上げてしまった。床に足が吸い込まれる。よく見ると、落花生の殻で床が埋め尽くされている。

若者たちを見ると、落花生の殻を次々と床に捨てている。マリアは喜んでキャッキャと騒いでいる。こけそうになりながら、席まで辿り着く。ビールで乾杯。

若者たちはロシアで大騒ぎになっている脅迫電話の話題で盛り上がっている。学校や駅、商業施設に「爆発物を仕掛けた」とロシア全土に自動システムで電話がかかっている。9月10日ごろから始まり、12日は4万5千人以上が、13日は5万人以上が避難した。

タラス君は落花生をほおばりながら笑い飛ばした。

「ロシアはウクライナに対して同じことをしたときには、高みの見物で笑っていたのに……。ウクライナ人にされるとは思ってもみなかったのでしょう」

弾薬庫を爆破される

２０１７年10月15日

落花生の殻で床が埋め尽されたバーで、タラス君が提案した。私ともっと話をしたかったのだろう。

「ウクライナ料理レストランがマイダン近くにできたので、また行きましょう」

今日がその日だ。マイダンにある中央郵便局前に午後6時に待ち合わせ。ウクライナ料理レストランへ行くのは、先週の予定だった。しかし、その朝タラス君に電話すると、「今日は天気が悪く、あなたに会う気分ではないので、またにしましょう」だった。私はウクライナ人の気質にすっかり慣れており、驚きもしない。ウクライナでは、約束は希望的未来でしかない。「では、翌週」ということになった。

午後6時過ぎに中央郵便局前に着いたが、タラス君はまだ来ていない。待つのも慣れたもので、気にもならない。20分遅れでマリアと腕を組みながらタラス君が現れた。

「そこでマリアと会ったもので、一緒に連れて来ました。いいですか」

どう見ても、先ほどまでベッドの中で乳繰り合っていたのが丸分かりだ。2人は同じ空気で包まれている。目には見えないが、感じ取れるから不思議だ。あの夜から2人はいい仲になったのだろう。

マリアは恥ずかしそうに私を上目遣いで見る。若いカップルの誕生を喜びながら答えた。

「もちろんいいですよ」

タラス君はレストランへの道すがらロシアの汚いやり方をしきりに批判する。

「カリニフカにあるウクライナ軍弾薬庫を爆破するなんて……。9月22日、3万人以上の市民が避難し、その後も断続的に爆破し続けました。プーチンはあくまでもシラを切っていますが、ロシアが送り込んだスパイの仕業に他なりません。卑怯なやり方に腹の虫が収まりません」

キエフ・カツレツをほおばる

2017年11月1日

オープンしたばかりのウクライナ料理レストランに着いた。ハータ（ウクライナの伝統的な家屋）を模した店構え。壁面には可愛らしい花の絵が描かれてあり、ほのぼのとした雰囲気だ。

私の喜ぶ姿を見て、タラス君は得意気。中に入ると、私の気分はさらに高ぶる。まさにウクライナの伝統的な設《しつら》えだ。木のテーブルには、刺繍の施されたテーブルクロスが掛けられている。ペチカまであるので、驚いた。

席に着くと、何も言わずとも黒パンと塩が運ばれてきた。パンと塩は命の源だ。日本では水が運ばれてくるな、とぼんやり思い浮かべる。命の源を日本では水と考えているからだろう。

「ここのおすすめは何だい」

タラス君に聞くと、マリアが口を挟み得意気な表情で答えた。回答を先生から教わった子どもが、友だちに教えようとするかのようだ。ここに来る前、おそらくタラス君から聞いたのだろう。

「もちろん、キエフ・カツレツです。お楽しみに」

何か隠しごとがあるのか、マリアはいたずらっぽく笑った。

「では、メーンはそれにしましょう」

ウオツカで乾杯をした後、前菜を食べる。伝統的な味付けで上品。次にボルシチ。ビーツの赤が効いた絶品だ。いよいよメーンのキエフ・カツレツがテーブルに。なんと、ラクビーボールほどの特大だ。今まであちらこちらのレストランでキエフ・カツレツを食べたが、こんなサイズは初めて。

「タラス君、特大を頼んだのかい」

「ここでは、これが普通です」

澄まして答える。ナイフを入れると、鶏肉に包まれたバターがジュワーと出てきた。気をつけないと、服を汚す。キエフ・カツレツをほおばる。口の中でとろける。キエフ・カツレツをせわしく口へ運ぶ私を見ながら、タラス君は言い放った。

「がさつなロシア人には、こんなに美味しいものは作れませんよ」

ロシア革命から100年

2017年11月15日

11月7日。ロシア革命からちょうど100年。ソ連がまだ続いていたら、大々的に祝賀イベントが開かれていただろう。しかし、現実には70年で霧の中に消えた。

ソ連時代、ウクライナは辛酸を嘗めさせられた。特にスターリンには徹底的に苦しめられた。1932年、1933年の大飢饉では、餓死者が300万人とも500万人ともいわれる。ウクライナで収穫された農作物をスターリンは奪い尽くし、ウクライナ人を根絶やしにしようとした。

また、1930年代半ばには、ウクライナの歴史を弾き語るコブザールをハリキフに集め演奏会を開くといって騙し、その後谷間へ連行し全員銃殺した。数百人に上る。

そういった数々の悪事が資料としてキエフに残っており、11月7日までに公開しようと、世界中から集った研究者が躍起に。その結果、我々はその全貌をおおよそ知ることができるようになる。

悪夢の70年間は何だったのだろうか。そんなことを考えながら、久しぶりにキエフの戦争博物館を訪れる。戦争の爪痕を残した展示物を見るうちに、遣る瀬ない気持ちになる。歴史を紐解くと、ウクライナはどこにも攻めたことがない。今なお攻められ、苦しめられ続けている。1991年にようやく独立したものの、ロシアから逃れられない。

ベンチに座り、ラジオのスイッチを入れる。

「スミ州で、休暇中の軍人が拉致されました。タバコを買いに出たきり戻らないので、家族が警察に届けを出したところ、ロシア兵に拉致されたことが判明しました」

またか。ため息がこぼれる。このところ、拉致事件が多発している。

100年前と同じ手口で

2017年12月1日

マルボロの箱からタバコを取り出し、マッチで火を付ける。湿っているのか、なかなか付かない。1本捨てて、もう1本で試してみる。これも湿っているのか、付かない。3本目でようやく付いた。ウクライナでは、マッチの先に塗られている火薬がごく少なく、火を付けるのにちょっとしたコツが必要だ。湿っていると、なおさらのこと。

一服して空を眺める。すっかり冬景色だ。どんよりとして物悲しい。

ラジオからプーチンのニュースが流れる。プーチンが「ドネツク人民共和国」の指導者アレクサンドル・ザハルチェンコと、「ルガンスク人民共和国」を率いるイーゴリ・プロトニツキーと電話会談したという。どちらもロシアが勝手に認めている共和国だ。プーチンは、ドネツクを首都として「マロロシア」という新しいウクライナを作ろうとしている。まずは自由に動かせるドネツクを軸にし、ルガンスクを巻き込む。最終的にはウクライナ全土を掌握するつもりだ。

そういえば、100年前ボリシェビキは同じ手口でウクライナを押さえ込んだ。ウクライナ・ソビエト共和国なるものを強引に作り、首都をハリコフに置き、ウクライナを手中に収めた。

まさに悪夢の再現だ。

ラジオから流れるニュースを聞いているうちに、いつの間にか横に大柄の男が立っている。比較的若い。

「火を貸してくれませんか」

頷いてマッチを擦る。今回は1本目で上手く行った。彼も同じマルボロを吸っている。

同じタバコを吸っているのに気付くと、男は嬉しそうな表情を浮かべた。そして、問いを投げかけてきた。

「あなたはウクライナが好きですか」

「もちろんです。体の半分は日本人、半分はウクライナ人です」

さらに嬉しそうな表情が増し、握手を求めてきた。

フリーメイソンによる実験

2017年12月15日

大柄の男はタバコを足でもみ消すと、名乗った。

「サーシャと申します。あなたはソ連の歴史に興味がありますか」

唐突な質問に怯んだが、「もちろん。ウクライナに関することはすべて関心があります」と答えた。

サーシャの頬が緩んだ。

「私はキエフ大学で教鞭を執っています。専門は歴史で、今はソ連時代のアーカイブを掘り出し整理しています」

「ソ連が崩壊して四半世紀も経つのに、まだそんなアーカイブがあるのですか」

「まだまだありますよ。レーニンもスターリンも筆舌に尽くしがたい蛮行を数え切れないほどしています」

「想像はできますね」

「副産物というべきか、アーカイブを掘り出しているうちに、おもしろいことに気づきました。レーニンはフリーメイソンだったのです」

「レーニンがですか」

「そうです。ところで、私はアメリカの歴史にも興味があり調べています。1917年にロシア革命が起こりましたが、同じ年にアメリカではライオンズクラブが設立されました。設立者のメルビン・ジョーンズは保険代理店経営者でフリーメイソンでした。さらに遡り、1905年。ロシアでは第一革命が起こり、アメリカではロータリークラブが設立されました。設立者のポール・ハリスは弁護士でフリーメイソンでした」

「驚くべき符合ですね」

「そうなのです。私は密かに仮説を立てました。地球上のすべての人が幸福になるために、100年前フリーメイソンがロシアとアメリカで実験したのでは、と。ロシアでは革命によって、アメリカでは資本家による奉仕によって」

あまりにも壮大な話に、私の頭はついていけない。サーシャは続ける。

「ロシアでの実験は1991年のソ連崩壊で失敗に終わり、アメリカでの実験は今年トランプが大統領になったことで失敗に終わりました」

頭がくらくらしてきた。

ドンバスに入浴剤の空き瓶が

2018年1月15日

テレビを付けると、今日も日本のテレビ番組が取り上げられている。以前日本のテレビ番組といえば、ピカチュウやセーラームーンなどアニメばかりだったが、近頃はバラエティー番組だ。バラエティー番組といっても、内容は決まっている。ロシア人の酔っ払い特集だ。典型的なロシア歌謡をバックにロシア人の酔っ払いがいかにひどく、滑稽かをクローズアップしている。

化学研究所では実験用アルコールを飲み、製鉄工場では工業用アルコールを飲む。街中では香水やローション、靴墨などアルコールとあらば何でも飲む。塗装用アルコールまで飲むのだから驚きだ。ビールにヘアスプレーを注入して飲む若者までいる。

夜は酔っ払いだらけ。警察署内には「酔い覚まし所」なるものが存在し、そこでは男も女も丸裸にされて酒を抜く。女の方がひどく、泣いたり喚いたり、手が付けられない。そんな酒乱女は両手を紐で括りベッドに縛り付ける。

あまりのおかしさに腹を抱えて笑っていると、携帯電話が鳴った。キエフ大学のサーシャ先生だ。

「メリークリスマス！」

そう、今日1月7日はクリスマスだった。ウクライナはユリウス暦でも祝うため、グレゴリオ暦の

12月25日だけではないのだ。

「メリークリスマス！」と返す。

「あなたも同じ番組を見ているのですね」

どうやら、テレビの音が電話越しに聞こえるようだ。サーシャ先生は続ける。

「ウクライナ人は喜んでいます。ロシア人の酔っ払いのひどさを日本人はきちんと理解しており、その上テレビ番組にして日本中に知らしめているのですから。日本人はロシア人を蔑んでいるのですね」

「まあ、そういうことです……」

「テレビ番組はおもしろおかしく作られていますが、あれがロシアの姿です。今、ドンバスではロシア兵が飲み干した入浴剤の空き瓶があちこちに転がっています」

「入浴剤を飲んで、どうもないのですか」

「もちろん、命を落としている者もいますよ」

ロシアが進駐して4年

2018年2月1日

ベッドから起き上がり窓越しに外を見ると、今日も雪が降っている。外の寒さが想像でき、外出する気が起こらない。買い込んでいる本を読んで籠城を続けよう。

雪を見ると、学生時代の恥ずかしい経験を思い出す。ロシアの小説をよく読んでいたが、しばしば登場する「冬将軍」を人間だと思い込んでいた。先入観とは怖いもので、疑うことなくそう思っていた。ところが、あるときどうもおかしいと思うようになり、当時付き合っていたガールフレンドに話した。彼女は初めきょとんとした表情を見せたが、私が大きな勘違いをしていることが分かると、ぷっと吹き出した。

「冬将軍って、人間のことだと思っているの」

「え、違うの」

「寒気の厳しさを擬人化した表現よ」

戸惑いを隠せない私をからかうように彼女はさらに笑った。その口元には侮蔑の色が漂い、どことなく不潔に感じられた。今となっては彼女の顔も名前も思い出せないが、その醜悪な唇の動きだけが脳裏にこびりついている。

雪を見る度に思い出すが、誰に話すことなく、話す必要もなく、自分の心の奥底に沈めることにしている。

ロシア革命の本を今日も読もう。昨日のものとは違う本を読み始める。

ウクライナ民族主義者たちはボリシェビキと4年にわたり戦った。最後はボリシェビキの武力にねじ伏せられたのだが。

ウクライナにロシアが進駐してちょうど4年が経とうとしている。100年前の轍を踏むまいと抵抗しているウクライナ。

「ウクライナに栄光あれ」と本に向かって呟いた。

アレクセイ・ナバリヌイも同じ穴の狢

２０１８年２月15日

ロシア革命についての本を読み漁るうち、１００年後の現在もロシアはまったく変わっていないことに気づいた。当時はボリシェビキが力づくで政権を奪い取り、レーニンそしてスターリンと悪の権化が蛮行を重ねた。

キーワードは力だ。今、プーチンも同じことをしている。力で弱い者の声を封じ、我が物顔で世界を闊歩している。

寄る年波には勝てず2時間も活字を追っていると、文字が滲んで見える。一息置くことにしよう。リヴィウで手に入れたコーヒー豆を手動ミルで挽く。ギリギリと音を立てて粉末になる。香ばしい香りが鼻先をくすぐる。コーヒーはリヴィウのものに限る。粉末になったコーヒー豆を小さな薬缶に入れる。これもリヴィウで手に入れた逸品だ。水を注ぎ直接ガスコンロにかける。すぐに芳醇な香りが立ち上る。

コーヒーカップを持ってソファーに腰掛ける。一口する。いつ飲んでも幸せな気持ちにしてくれるコーヒーだ。

おもむろにテレビのスイッチを入れると、ロシア大統領選挙のニュースが目に飛び込む。3月18日のロシア大統領選はプーチン4選が確実という。

しかし、プーチンのやり方に疑問を持ち立ち上がる若者たちもいるという。大統領選への立候補を拒否された反体制派アレクセイ・ナバリヌイが中心となり反政権集会が全国１００ヵ所以上で行われているという。

しかしながら、彼もプーチンと同じ穴の狢《むじな》だ。クリミアをロシアのものだと強く主張している。ニュースキャスターは批判的なコメントで番組を締めくくった。

2018年3月1日

放送の7割以上がウクライナ語

ロシア大統領選を放送しているこのニュース番組はウクライナ語だ。ウクライナでは放送の7割以上がウクライナ語で行われている。ラジオも同じで、ロシアとの戦争が始まってから国が決めた。

完全にロシア語を排除したいのが本音だ。西ウクライナではすぐに実現できるが、キエフを始め東ウクライナではロシア語が日常的に使われているので、完全にウクライナ語だけにするのは難しい。

しかしながら、徐々にロシア語を排除し、最終的にはウクライナ語だけにしようとしている。

ウクライナ語とロシア語の問題はロシアのウクライナ侵攻にも少なからず関わっている。リヴィウを中心とする西ウクライナではウクライナ語が普通に使われている。

ところが、東ウクライナではウクライナ語が使われておらず、ロシア語が日常会話の言葉だ。

1991年の独立以降、ウクライナの教育、行政はすべてウクライナ語になった。そこで戸惑ったのが、東ウクライナに暮らす高齢者だ。ウクライナ語が分からず、役所などで困り、ソ連時代を懐かしむ気持ちが膨らんだ。その結果、ロシア寄りになったという側面もある。

チャンネルを切り替えると、ロシア語によるホームドラマが流れている。韓流ドラマのようなドロドロさはなく、どちらかといえば、ボソボソと静かなトーンのセリフが交わされている。ロシアで作られた古いドラマだ。画像がどことなく色あせている。

画面の下にはウクライナ語の字幕が表示されている。近い将来、このようなロシア産のドラマは、ウクライナでは放送されないのだろう。

中国のウクライナ進出

２０１８年3月15日

込み入った相談があるという電話がキエフ大学のサーシャ先生からあったので、地下鉄黄金の門駅近くのカフェで会うことにした。向かいにはタラス・シェフチェンコ記念ウクライナ国立歌劇場がある。バレエやオペラのメッカだ。リッチなカフェでの相談というので、極めて難しい問題か誰かに聞かれるとまずい話題なのだろう。

店に着くと、サーシャ先生はすでにおり、手をふって「ここですよ」と合図した。隣にはのっぽで痩せた青年が座っている。

２人と握手して腰掛けた。

コーヒーを注文すると、サーシャ先生が青年を紹介した。

「彼はアンドリー君といって、キエフ大学で日本について勉強しています。私の講義にも出ています」

アンドリー君が小さな声で自己紹介した。

「私はキエフ大学の学生です。日本語を勉強しています」

しっかりした日本語だ。サーシャ先生は続けた。

「実は就職に当たり、日本語を使う仕事がなかなか見つかりません」

「では、就職についての相談なのですね」

そんなに難しい問題ではなさそうなので、胸をなでおろした。

「キエフ大学の卒業生が、北京で仕事をしています。仕事の内容はウクライナ開発です。今、中国はウクライナにどんどん進出しています。新しい地下鉄路線の開発や大きな橋の建設など……」

サーシャ先生に促されて、アンドリー君が加えた。

「先輩は在学中から私を可愛がってくれており、一緒に働こうと声をかけてくれました」

実に真剣な面持ちでサーシャ先生が私に尋ねた。

「中国のことを信用してもいいのでしょうか。キエフ大学の先生よりも、あなたの方が事情をよくご存じだと思うので、率直なご意見を伺いたいと思いまして」

怪しいロシア大統領選

２０１８年４月１日

サーシャ先生の目を真っ直ぐ見て答えた。

「少なくとも、ロシアより安心して付き合える国でしょう」

本人も望んでいた答えだったようで、サーシャ先生の表情はやや和らいだ。アンドリー君も胸をなでおろす。

「ありがとうございます。今のアドバイスを踏まえたうえで、両親とも話し合います」

サーシャ先生はアンドリー君の肩を小さく叩いた。カップが空になっていることに気付き、サーシャ先生は「お嬢ちゃん」とウエイトレスを呼んでお代わりを注文した。

「それにしてもロシアの大統領選挙はひどいものでしたね」

私がそう言うと、サーシャ先生は身を乗り出した。

「7割以上という高い得票率でプーチンは通算4選を果たしたといいますが、実に怪しいものです。投票日当日から不正選挙の実態がインターネット上にアップされました」

選挙の話題になり、アンドリー君は笑い声を上げた。

「何度も同じ人が投票箱に投票用紙を入れたり、一人の人が何十枚も投票用紙を突っ込んだりしている映像を見て、ふざけたコメディー映画を見ているような感覚に襲われました」

「ロシアの若者たちは、どう思っているのだろうか」

アンドリー君に問いを投げかけた。

「完全に白けています。選挙戦でプーチンが若者のコンサートに現れたときなど、彼らは内心『こんなところまで来るなよ』と憤りさえ感じたようです。ロシアの若者たちのサイトを見ていると、実情がよく分かります。実際、若者たちはプーチン反対デモまで行いました」

「今まででは考えられないことだね」

「選挙日を3月18日にしたこと自体、若者の反感を買っています。4年前にクリミアをもぎ取った日ですよ」

サーシャ先生が付け加えた。

「確かに、ロシア国内でも、クリミア半島併合に対して異を唱える人びとが増えつつあります」

ロシア人男性の平均年齢は66・5歳

２０１８年４月15日

「どこに行っても、ロシア大統領選のことは話題に上りませんね」

素朴な疑問を投げかけると、サーシャ先生は苦笑いを浮かべた。

「当然ですよ。出来レースも出来レース、茶番劇でしかない大統領選を誰が話題にするでしょうか」

アンドリー君が加勢する。

「プーチンはいつまで君臨するつもりなのでしょうか。65歳というと、おじいさんですよ。もう棺桶に入る年です」

私は驚いて聞いた。

「日本で65歳といえば、まだピンピンしているよ」

アンドリー君はいたずらっぽく笑った。

「ロシア人の男性の平均寿命はご存じですか？」

「日本では、男性が80・98歳、女性が87・14歳だけれど、ロシアは何歳なんだい」

「何歳だと思われますか」

サーシャ先生がアンドリー君をたしなめた。

「焦らすのはおよしなさい」

頭を掻いてアンドリー君は答えた。

「すみません。では、お答えします。男性は66・5歳、女性は77歳です」

「そんなに若いのかい」

驚きのあまり、声が上擦った。サーシャ先生は黙ったまま首を縦に振った。

「ということは、プーチンはアンドリー君の言うように棺桶に入る年なんだね」

「そうです。そんな年なのに張り切るなんて、どうかしています。早く引退すべきです」

「プーチンが引退すれば、立派な大統領が誕生するのでしょうか」

サーシャ先生に問いを投げかけると、首を横に振って答えた。

「プーチンが去っても、新しいプーチンが誕生するでしょう。ロシア人が寄ってたかってプーチンという人物を生み出したのです。ですから、罪はプーチンだけではなく、すべてのロシア人にあるのです。プーチンを反対するロシア人も含めて……」

ウクライナ文学専門図書館が閉鎖

２０１８年５月１日

サーシャ先生はさらに饒舌になる。

「国民の半分が年金受給者と公務員のロシア社会は、例えればピラミッド型です。権力者が上に立ち、国民を保護する構図。国民は強い権力者を求めているのです。食わせてくれるボスを求めるのがロシア人です。ロシア革命、ソ連を経て21世紀になっても、農奴から抜け切れません。奴隷根性丸出しです」

「同じ東スラブ人でもウクライナはそうではないですね」

私の発言を遮るようにしてサーシャ先生が答えた。

「まったく違います。ウクライナ人は独立心旺盛で、自由を重んじます。例えば、ドーナツ型の社会構造です。ボスが真ん中に立ち、国民が周りをぐるりと囲んでいるのです」

ウクライナ社会とロシア社会の違いを力説するサーシャ先生の横顔を眺めながら、アンドリー君は大きく頷く。何度も聞いているはずだが、何度聞いても新鮮に聞こえるのだろう、アンドリー君は目を見開きながら聞いていた。

「なるほど、よく分かりました」

得心した私の表情を眺めながら、サーシャ先生は満足そうな笑みを漏らし、冷めたコーヒーをすする。

アンドリー君が口を開いた。

「話は変わりますが、ペトリフカ（本のマーケット）でロシア語の本を売っている店が罰金を払わされていますね」

サーシャ先生が答える。

「本によります。ロシア帝国主義の本などは販売が禁止されています」

「それに対する報復でしょうか。モスクワに1つだけあったウクライナ文学専門図書館が閉鎖されましたね」

サーシャ先生は大きく頷いた。

「その通りです」

2人のやり取りを聞いていて、モスクワにウクライナ文学専門図書館なるものがあったのかと驚きを隠せなかった。

戦争は時間まで奪う

2018年5月15日

「ウクライナとロシアはこれからどうなるのでしょうか」

会話が途切れたので、思い切ってサーシャ先生に問うた。

サーシャ先生はコーヒーを一口飲むと、遠くを眺めながら独り言のように言葉を紡いだ。

「目が覚めると4年が過ぎていたという感覚です。私の人生で最も短い4年間です……」

目を丸くしながらアンドリー君が続いた。

「僕も同じです。瞬きをしたら4年の歳月が流れ去ったかのようです」

胸に手を当てて考えると、確かに私も同じ感覚だ。人生のどの時期よりも時が早く過ぎ去った。戦争は人や物を奪うが、時間まで奪うものかとはたと気が付いた。

サーシャ先生が小さな咳払いをして口を開く。

「あなたの質問にどう答えればよいものでしょうか。高名な学者でも、人気の評論家でも明確な答えを出すことはできないでしょう」

アンドリー君が頷く。

「確かに、この戦争がどう収まるのか誰も分かりませんね」

「君の言う通りです。しかし、ここまで来たら、ロシアに負けるわけにはいきません。どちらが倒れるか我慢比べです」

思いつめたサーシャ先生の表情を見て、アンドリー君は不安を募らせる。

「僕たちは戦争のための資金集めに奔走しているのですが、最近ではなかなか集まりません。大口の寄付をしてくれていた製薬会社の社長までが苦境に立たされています」

「恐らく、ロシアへの販売がなくなったからでしょう」

負の連鎖の会話を断ち切ろうと、私は口を挟んだ。

「ロシアは内部崩壊が急激に進んでいます。『我々に皇帝は不要だ』とモスクワで数千人が立ち上がったニュースを見ました。特殊部隊が彼らを殴ったり蹴ったりして拘束するまでの大事件です」

サーシャ先生が表情を緩めた。

「もう少しの辛抱ですね」

ホテルの値段が100倍以上に

2018年6月1日

何かを思い出したかのように、アンドリー君はニタリとしながら話を始めた。まるで子どもが父親に秘密の出来事を話すかのようだ。

「ロシア人が考えているほどウクライナ人はヤワではありません」

「どういうことだい」

謎めいたアンドリー君の言葉に乗せられて、私は質問を投げかけた。

「では、お話しします」と告げると、もったいぶっているのかどうかは分からないが、しばらく間を置いた。

早く話しておくれと目で合図を送った。

アンドリー君は鼻の頭を右手人差し指でゴリゴリと2度ほど掻く。

「今、キエフのホテルの値段をご存じですか」

「1泊50米ドルぐらいかな。高くても100米ドルというところでしょう」

その答えが余りにも的外れだったようで、アンドリー君はいたずらっぽい表情を作り目を見開いて両手を広げた。

「1泊4千~6千米ドル以上です」

「それはどういうことですか」

「フットボールリーグのファイナルが5月末にキエフで開かれ、ヨーロッパから10万人近くのファンがやってきました。彼らはいくら払ってもキエフでの試合を見たいのです」

「そこで、ウクライナのホテルは商機を悟ったのですね」

「その通りです。通常の100倍以上です。10倍ではありませんよ」

サーシャ先生はこの辺りの話題に疎く、目を丸くして聞いている。

「ウクライナ人は商魂たくましいですね」

「だからこそ、生き抜いてきたのです。ロシアはじめ近隣諸国に痛めつけられ続けてきましたが、転んでは起き転んでは起きの繰り返しでここまでやってきました」

言葉が出なかった。

七転び八起きという言葉が頭の中でぐるぐる回り続けていた。

拭い去れない不安

2018年6月15日

けたたましい音がサーシャ先生のポケットから鳴った。スマートフォンの呼び出し音だ。応答し、眉間にシワを寄せながら頷いている。

「大丈夫、何もないよ」を繰り返す。その合間に「日本人とカフェで話をしているだけだよ」という説明も何度かする。スマートフォンの向こうでは、女性の金切り声が聞こえる。

アンドリー君は慣れた儀式を横目で見るように平然としてコーヒーをすする。

数分経って、電話が切れる。

「奥さんですか。熱々ですね。誰かとデートしていると思って、焼き餅を焼いているのではないですか」

声を潜めてサーシャ先生をからかうと、

「そんなのではないですよ」

苦笑いで答える。

こちらがキョトンとしていると、サーシャ先生は静かに語った。

「身の心配をしているのです。ソ連時代の負の習慣ですね」

冗談顔では聞けない内容だ。

「ソ連時代、何の前触れもなくKGBに捕まり、帰ってこないことがよくありました。特に男性が多く、妻や子どもたちは不安と恐怖に常に悩まされていました。理由も分からず、抗議もできず、家族は泣き寝入りです。ですから、いまだに少しでも連絡がないと、不安になって電話するのです。私の妻だけでなく、ウクライナ女性の多くはこの不安を拭い去ることができません」

アンドリー君が口を挟んだ。

「先生に見せてもらったタルコフスキーの映画『鏡』は衝撃的でした。誤植を見逃したのではないかと、土砂降りのなか印刷所に走る主人公の母（校正者）。正しく刷られている用紙を見てホッとした表情をする彼女の顔が忘れられません」

サーシャ先生が言葉を添えた。

「スターリン時代、スターリンに関する文章の誤植があれば、校正者はシベリア送りでした」

２０１８年７月１日

メジギリヤへの誘い

このところずっと快晴が続いている。６月、７月は最も過ごしやすい月だ。ピロゴーヴァ（野外博物館）へ行ってビールでも飲もうか。

何かおもしろいイベントをやっていないだろうかとパソコンを立ち上げ、インターネットサイトを覗く。ウクライナ民族舞踊と民謡のフェスティバルがある。ちょうどいい。

ついでにメールチェックをする。2日開けずにいると、次々と未読メールが流れ込んでくる。ほとんどが何かの宣伝だ。しかし、その中に懐かしい名前を見つけた。ラジオ局で働くスベトラーナからだ。「お久しぶりです。お元気ですか。メジギリヤ（山と山の間）へ一緒に行きませんか。いつも新しい取材対象を探しているあなたのことが頭に浮かび、メールしました」。

失脚してロシアへ逃げた元大統領ヤヌコーヴィチの家。メジギリヤはその別称。一度は訪れたいと思っていたので、すぐにOKのメールを出す。パソコンの前にいたのだろうか、程なく彼女から返事が届く。「明日、行きましょう」。

翌朝、まぶしい朝日で目が覚めた。紅茶を入れ、トーストにたっぷり蜂蜜を塗って朝食の出来上がり。スマートフォンでタクシーを呼ぶ。1年ほど前から流しのタクシーも白タクも姿を消した。あれほど街に溢れ返っていたのに。近々マルシュルートカ（乗り合いバス）もなくなるらしい。さらに不便になる。

通りに出ると、ほぼ時間通りにタクシーが到着。乗り込むと、新車の香りがする。30代半ばの男性ドライバーが、ハンドル横に取り付けられたスマートフォンに触れ、行き先確認をする。

「目的地へ行く前に、女の子の家に寄りたいのですが」

そう言って、スベトラーナの家の住所を伝えた。

ウクライナ人女性のメンタリティー

２０１８年７月15日

スベトラーナのマンションの下に着く。中心地からそれほど離れていない地域で、次々とマンションが建っている。

スマートフォンを取り出し、スベトラーナにかける。

「今、下に着きました」

弾んだ声で応えるスベトラーナ。

「おはようございます。今、降ります」

久しぶりに聞いた彼女の声。その声を聞いただけで、うっとりする。ラジオ番組を持っているだけある。これから交わす会話に胸が踊る。

5分しても、10分しても、彼女は降りてこない。30分が過ぎた。ここで癇癪を起こすようなら、ウクライナ人女性とは付き合えない。しかし、放っておくのもまずい。催促すると疎まれるし、かといってただただ待っていると、自分に関心がないのではと臍を曲げる。非常に複雑なメンタリティーだが、そこがウクライナ人女性の可愛いところでもある。

このタイミングで電話をかけよう。ミラー越しにドライバーを覗くと、彼は何も言わず首を縦に振った。

4度目の呼び出し音でスベトラーナが出た。

「すぐに行きますね」

完全に彼女のペースだ。しかし、このタイミングで電話してよかった。彼女の声色から感じ取れた。明らかに喜んでいる。時間的に縛られず、その上気にかけられていると自尊心をくすぐったのだ。

それから15分ほどして、スベトラーナが扉から姿を見せた。オレンジ色のワンピースを身にまとっている。ノースリーブ。口紅は鮮やかなオレンジ色。真っ白な帽子に真っ白な靴。ファッション雑誌から飛び出たかのようだ。

以前とはどこか雰囲気が違う。私の知るスベトラーナは真紅の口紅を好んでいた。記憶が少しずつ蘇る。

女の魅力

２０１８年８月１日

車から降りて、スベトラーナを迎える。女性を車内で待ち受けてはいけない。車から出て、ハグをし、静かにドアを開け彼女を先に乗せる。この順序が大切だ。一つでも間違うと、ウクライナの女性は機嫌を損ねる。しかも、さりげなくしなければならない。田舎紳士のように「どうぞ、どうぞ」と大げさに振舞おうものなら、見下されて鼻であしらわれる。

スベトラーナとハグするのは久しぶりだ。柔肌が胸に沈み、シャネルＮｏ．５の香りが鼻腔を刺激する。

随分会っていないのにも関わらず、ハグした瞬間から昨日も会ったかのような感覚になるのは、彼女の魅力だ。

「久しぶりにお会いできて、とても嬉しいです」

私の陳腐な挨拶にウインクで応えるスベトラーナ。そのしなやかさから、いくつかの恋を経験して得た女の妖艶さが感じられた。

某週刊誌の恋愛特集記事で、女性は恋を上書きし、男性はフォルダー分けするという件《くだり》を読み、妙に納得したことを思い出した。彼女は上手に上書きを重ね、女の魅力に変換している。

タクシーに乗り込むと、積もり積もった話に花が咲いた。スベトラーナが担当するラジオ番組は音楽家や画家などからスポーツ選手、事業家、政治家に至るまでありとあらゆる種類の人間が出演し対談するもので、裏話には事欠かない。彼女の魅力が増したのは、どうやら恋愛だけではなさそうだ。多種多様な人間に揉まれて培われたものだ。

そう考えると、心の隅で燻っていた何かがすうっと消え、軽くなった。彼女の恋愛について勝手に妄想を膨らませていた自分がどこか滑稽に思え、口元が緩む。

「どうかしましたか」

スベトラーナは不思議そうな表情を浮かべた。

メジギリヤに着く

2018年8月15日

あっという間にメジギリヤに到着した。時計を見ると40分ほど経っている。しかし、体内時計は5分しか進んでいない。

これが元ウクライナ大統領ヤヌコーヴィチの家だ。門構えからして威圧的である。

タクシーを降りると、喉がカラカラなのに気づいた。調子に乗って喋りすぎてしまった。

「冷たいものでもどうですか」

スベトラーナは頷いた。

メジギリヤはすでに観光スポット化し、門の前にはオープンカフェができている。

スベトラーナはオレンジジュース、私はコカ・コーラを注文する。

スベトラーナは「カンパイ」と恥ずかしそうにグラスを掲げる。日本語を覚えているわよ、と言いたげな表情を作って見せた。私が最初に教えた日本語だ。確か、マイダンにある寿司屋で。泡立ったビールがテーブルに来たとき、「日本語で何と言うのですか」と私の目を覗き込んだのを覚えている。

「乾杯、と言います」

「カンパイ、カンパイ！　日本語を覚えました」

幼子が初めて言葉を話したときのような満足げな表情に愛らしさを感じる。そんな過去のシーンが脳裏に浮かぶ。

あまりにも喉が乾いていたので、半分ほどコカ・コーラを喉に流し込んだ。スベトラーナは小さな口でストローをくわえ、少しずつ吸っている。蜜蜂が蜜を吸っているようで見とれていると、彼女ははにかんで頬を染めた。

「ごめんなさい。じっと見てしまいまして」

「私の飲み方、おかしいかしら」

「そうではなくて、反対です。とてもエレガントです」

とってつけたような返事しかできない自分を恥じた。

ドリンクを飲み干し、いよいよヤヌコーヴィチの家へ。入口のチケット売り場で100グリブナ（約420円）の入場券を2枚買った。

56キロメートルの塀に囲まれた家

2018年9月1日

小太りのおばさんガイドが険しい表情で門を指差す。

「ここからがヤヌコーヴィチの家です」

険しい表情はきつい日差しのせいだろうか、それとも性格のためだろうか。スベトラーナに目をやると、そんなことはどうでもよいようだ。美しく整備された庭をじっくり眺めている。

ガイドは続ける。

「この家は6メートルの高さの塀で囲まれています。天辺には鉄条網が敷かれ、ヤヌコーヴィチが住んでいたときには、電流を流していました」

その塀を見たとき、ヤヌコーヴィチがいかに恐怖心に苛まれていたかが窺い知れた。自分の命が狙われていることを認識していたのだ。そして、その理由も分かっていたに違いない。

つまり、人に恨まれるような残忍で卑劣なことをしている自分自身を知っていたのだ。人は人を騙すことはできても、自分を騙すことはできない。自らの行為を見ずに済ますことはできない。誰一人見ていなくとも、自分の目で自分を見ている。

人から命を狙われるまでのことをしている自分をヤヌコーヴィチ自身が誰よりもよく知っていたのだ。その象徴が6メートルの壁というわけだ。

ガイドはさらに驚くべき事実を我々に告げた。

「この塀の長さは56キロメートルあります」

あまりのスケールの大きさにスベトラーナは把握できずにいる。私の頭の中にはすぐに大阪環状線が思い浮かんだ。確かその路線距離は22キロメートル弱だ。56キロメートルというと、単純計算して大阪環状線が2つすっぽり入る。この家に大阪環状線を2つ入れたところを思い浮かべ、軽い目眩を覚えた。

「庭をすべて歩くと、駆け足で10時間以上かかりますので、後ほど電動自動車で回りましょう」

ザハルチェンコ殺害の真相

2018年9月15日

小太りおばさんガイドに別のガイドが寄ってきて、険しい顔つきで話しかける。白髪混じりでおじいさんのような風貌だが、よく見ると、首筋あたりの皮膚がぴんと張っている。思ったよりも若いかもしれない。ひょっとすると、まだ50歳にも満たない可能性もある。彼が小太りガイドの耳元で一言二言告げると、彼女は目を見開いた。

「え、ザハルチェンコが殺害されたの」

東ウクライナで勝手に「ドネツク人民共和国」なるものを作っている男の名前が耳に飛び込んだので、思わず小太りガイドの顔を覗き込んだ。その視線に気付き、彼女は頷いた。

「ロシアはウクライナの仕業だと主張していますが、そんなのは真っ赤な嘘です。ザハルチェンコのいるカフェごと爆破し、側近ら11人も死傷したようです。ロシア軍が陣取るところでこんなに大掛かりな爆破ができるのは、ロシアでしかありません」

スベトラーナが口を挟んだ。

「言うこと聞かず勝手な振る舞いを続けるザハルチェンコに業を煮やし、プーチンはトカゲの尻尾を切ったのよ」

「邪魔者を消すのはロシアの常套手段ですね。ソ連時代からどれほど殺されたのか数え切れません」

私が加わり3人の思いが合致し、怒りが倍増した。

「ウクライナにとってもザハルチェンコの存在は目の上のたんこぶだったので、清々します」

小太りのガイドが単純な意見を述べた。しかしながら、スベトラーナは心配そうな表情を浮かべる。言外に彼女の意見を求めると、ため息交じりに小さく呟いた。

「これで戦闘が激化するかもしれないわ。年金引き上げ問題でプーチン批判が高まっているので、ロシア国民の目をそらすためかも……」

ヤヌコーヴィチの屋敷に入る

２０１８年10月1日

東ウクライナの戦闘がさらに激しくなるという懸念を抱えながら、屋敷前に立った。

小太りガイドが神妙な顔つきで言う。

「ここからはガイドが変わります。屋敷内には特別なガイドがいます。私はここから入ることができません」

一息置いて、ガイドは加えた。

「屋敷に入るには特別料金が必要です。チケットはないので、ご了承ください」

言われるがまま小太りガイドにグリブナ札を渡す。

屋敷の入口で、靴に空色のビニールを被せる。ウクライナの博物館では時折このようなことがあるが、ここもそうだ。外の土や埃が中に入らないようにするためだ。

黒マントに身を包んだ短髪の男性ガイドが、皆を集めて早口で始めた。マントの下は伝統的なコサックの軍服を身に付けている。

「私はマイダン革命を成し遂げたメンバーの1人です」

20人ほどの観光客がざわめく。ガイドはさらに険しい表情を作り、大きく咳払いをした。

「静かに。この家はただ今裁判中で、我々は違法に入っています。つまり、あなた方は捕まる恐れがあります。もちろん私も同罪です」

この言葉を聞いて、のほほんと屋敷内に入った観光客は凍りついた。スベトラーナを見ると、表情が引きつっている。

悪い冗談かと思ったが、どうやらそうではなさそうだ。とんでもないところにきてしまった。

ガイドは表情を変えることなく続けた。

「ですから、静かに、迅速に私に付いてきてください」

初めにガイドが紹介したのはボーリング場だった。主《あるじ》を失った各レーンは、照明に照らされ寂しい顔をしている。ヤヌコーヴィチはボーリング好きのようだ。ここでボーリングに興じていた大男の姿を思い浮かべると、何だか滑稽に思われた。

1人のために作られた豪勢な部屋

2018年10月15日

黒マントのガイドが険しい表情のまま次へ進むよう命令する。案内ではなく命令のように思えて仕方ない。彼にとって、ここは戦場の一部なのだ。彼の頭の中に描かれた戦場の映像が我々1人1人の頭に投影されるほど、彼のイメージ力は強い。

ボーリング場の次に連れてこられたのは、鳥の部屋だ。入口には百獣の王ライオンの剥製が立っている。生きているライオンかと見間違え、息を飲んだ。

スベトラーナが私の手を握る。冷えたワイングラスのような手が震えている。彼女を見ずに強く握り返した。安堵したようで、一瞬のうちに彼女の手が柔らかくなったのを感じる。彼女の指と指との間に隙間ができたのを確かめ、自分の指を滑り込ませた。彼女の指と私の指が絡み合う。喜びと安心感が2人の間で交差し、自然のうちに2人の歩調も合ってくる。

ガラス天井の部屋にはあちこちに鳥小屋が置かれ、鳥たちはそれぞれのリズムで鳴いている。鳥の部屋の向こうを見ると、テニスコートがある。ボーリング場の次はテニスコート。ヤヌコーヴィチはそんなにスポーツが好きだったのだろうか。

鳥の部屋を出てしばらく歩くと、塩サウナ風呂、日焼けサロン、マッサージ部屋と次々に豪勢な部屋が現れる。すべてヤヌコーヴィチ1人のために作られた部屋だ。

さらに奥へと進む。突き当たりのドアを開くと、ボクシングのリングが。サイドにはトレーニングマシーンがいくつもある。ガラス天井から差す光が眩しい。

黒マントのガイドがあからさまに嘲笑しながら説明する。

「我々になぶり殺しにされるのを恐れ、ヤヌコーヴィチはここでぶるぶる震えながら逃げる手立てを考えていたそうです」

2018年11月1日

金の装飾は偽物

リングでの傍若無人な振る舞いをしていただろうヤヌコーヴィチの姿を思い浮かべていると、黒マントのガイドに呼ばれた。

「本館へ行きます。急いでください」

見学の団体はすでにおらず、私だけだった。

「申し訳ありません」

頭を下げ、本館に通じる廊下の入口へ小走りで駆け寄った。

「さあ、急ぎましょう」

黒マントの後を付いていく。廊下は薄暗く、所々に高値の絵が掛けられてある。ヤヌコーヴィチがいるときは、もっと明るかったのだろうか。天井をキョロキョロ見るが、照明らしきものが見当たらない。ということは、ヤヌコーヴィチ自身もこの薄暗い廊下を歩いていたということか。

本館に着いた。別館よりも荘厳な佇まいだ。至る所が金で装飾されている。

ガイドが不気味な笑みを浮かべて説明する。どんな人でも笑顔になると好感が持てると思っていたが、簡単に覆された。この男には笑顔が似合わない。笑みをこぼしただけで、不気味さが漂う。もしかして、人間ではなくアンドロイドではないだろうか。そう思わせるほど、表情がぎこちなく冷たい。

「業者は純金で装飾したとヤヌコーヴィチに報告していたのですが、我々の調査で、実は純金に見せて多くの装飾は偽物だと判明しました」

見学者の団体がどよめいた。その内の1人が質問した。

「そんなことが本当にあるのですか。もしばれたら、命がないのでは」

さらに不気味な笑みを浮かべて、黒マントのガイドは静かに答える。

「我々も初めは驚きました。まさか業者がヤヌコーヴィチを騙していたとは信じられませんでした。しかし、事実です。業者が私腹を肥やしていたというわけです。ヤヌコーヴィチの上手を行っていたのです」

PanasonicとDAIKINの電気製品が至る所に

２０１８年11月15日

次々と案内される部屋はどれも重厚で目を見張った。ワインを飲む部屋、お茶を味わう部屋、焼肉をする部屋、映画観賞用の部屋……。見た目は重厚だが、よく見ると悪趣味に満ちていた。焼肉をする部屋に入り、黒光りしたワニが目に入ったときは、思わず仰け反った。丸ごと皮を剥がされたワニがテーブルの上で眠っている。女たちはキャッキャと声を上げながらワニの硬い皮に手を伸ばしている。なかには頬ずりしながらスマホで自らを撮影する者までいるから、驚きだ。女の脳と男の脳は決定的に違うことを改めて思い知らされる。

30畳ほどある映画鑑賞用の部屋には、リクライニングチェアがいくつも据えられている。男たちは早速リクライニングチェアに体を埋めながら、満足げな表情を浮かべている。正面の大きなテレビ画面をよく見ると、Ｐａｎａｓｏｎｉｃという銀文字が光っている。

その後、案内された部屋に据え付けられてあるテレビを注意深く見ると、ことごとくＰａｎａｓｏｎｉｃだ。他のメーカーのものはない。

エアコンもＰａｎａｓｏｎｉｃなのかと目を凝らすと、こちらはＤＡＩＫＩＮだ。どの部屋もどの部屋もことごとくＤＡＩＫＩＮだ。他のメーカーは一つもない。

ＰａｎａｓｏｎｉｃとＤＡＩＫＩＮの電気製品が至る所に……。日本にいるような不思議な錯覚に陥った。

ＰａｎａｓｏｎｉｃとＤＡＩＫＩＮはヤヌコーヴィチにどれほど儲けさせてもらったのだろうかと

いう浅ましい考えが脳裏に浮かび離れない。それとも、儲けるどころか、値切りに値切られて辛酸を嘗めさせられたのだろうか。あるいは、金の装飾と同じように、中に入った業者がヤヌコーヴィチを出しぬき、ＰａｎａｓｏｎｉｃとＤＡＩＫＩＮを絞りに絞って私腹を肥やしたのだろうか。

黒マントのガイドに質問をぶつけると、首をすくめて「分かりません」という表情を見せるだけだった。

ウクライナ全土が戦時状態に

２０１８年12月１日

部屋の案内は続き、終わりがないのではと思うほどだ。豪華なベッドルームに輝くトイレ、豪華シャンデリアが吊るされた螺旋階段、所狭しと高価な調度品が並べられている大広間。金ピカの教会まで家の中にあるのだから、言葉が出ない。

キャッキャと楽しげに部屋の撮影をしていた20代の女子グループも、疲れが出てきたようで、ソファーに腰掛け欠伸している。どうやら豪邸見学が飽きたのだろう。

部屋の隅で男子学生のグループが騒がしい。黒マントのガイドが注意しようとして近寄ると、１人の学生がスマートフォンの画面を指差しながら、「ウクライナ軍の船がロシアに攻撃された」と声を上げた。

黒マントのガイドは学生のスマートフォンに映し出されている最新ニュースを読み終えると、参加者全員を集め、こう言い放った。

「ウクライナとロシアとの戦争が海上にまで広がりました。どちらかが地獄に落ちるまで、この戦争は終わることはありません」

冷たい表情の男の口から地獄という言葉を聞き、スベトラーナは震え上がり、私の腕に縋り付いた。その手は震え、私にまで伝わる。

さらに、ガイドは状況説明を淡々と行った。ロシア連邦保安局（ＦＳＢ）の監視船が発砲し、ウクライナ軍の小型砲艦「ベルジャンスク」「ニコポル」と曳航艇「ヤナ・カパ」がロシア側に拿捕されたという。黒海からケルチ海峡を通ってアゾフ海へ向かうところだった。６人の乗組員が負傷している。只事ではない。

ウクライナ政府は国家安全保障防衛会議を開き、30日間ウクライナ全土に「戦時状態」を導入すると決めた。戒厳令だ。ポロシェンコが大統領に署名し、議会が承認した。一線を越えてしまった。

２０１８年12月15日

友好協力条約延長せず

豪華な屋敷を出て、電気自動車で敷地内を回る。

走っても走っても、終わらないドライブ。敷地は想像を絶する広さだ。ゴルフ場あり、森あり、湖あり、鳩小屋あり……。ヤヌコーヴィチは無類の鳩好きのようで、何万羽だろう、数え切れないほどの鳩が我が物で餌を啄ばんだり、踊ったりしている。

トイレ休憩とのことで電気自動車から降りると、鹿の親子が近寄ってきた。鹿せんべいがあればやれるのにと悔やむ。子どもの頃、親に連れられて奈良公園によく行ったものだ。鹿せんべいをやるのが、楽しくもあり、怖くもあった。鹿がせんべいをパクリとくわえる瞬間、手をさっと離さなければ手までしゃぶられる。噛まれることはないが、気持ちいいものではない。べそをかく私を父は笑いながら見ていた。

木陰で母が弁当を広げると、鹿が集まってくる。それを払いのけながら食べる弁当はスリルがあった。

弁当を食べ終えると、父は一編の詩を口ずさんでいた。子どもの私は何をブツブツ言っているのだろうかと思っていたが、大人になって中原中也の「また来ん春」であるということが分かった。

記憶の中に埋もれていた思い出が突然にして蘇った。

また、電気自動車のドライブが始まる。車庫の前を通り過ぎると、中年ドライバーが指差して説明した。

「あの中に、高価なクラシックカーが40台あります。観賞用です。乗るための高級車は100台あります」

豪邸で驚くことに慣れてしまい、電気自動車の乗客は誰もが表情を変えなかった。

私も同じで、黙っていた。ウクライナとロシアの戦いがどのように広がっていくかという考えが頭の中で巡る。

1997年にウクライナとロシアの間で結ばれた友好協力条約は来年4月1日で期限切れだ。ウクライナは延長しないという結論を下した。

使用人は千人以上

２０１９年１月１日

電気自動車を軽やかに運転しながら、ドライバーは案内を続ける。

「この広大な屋敷を管理するために、ヤヌコーヴィチは千人以上の使用人を雇っていました。もちろん、国の税金で。国民の血税で運営されていたのです。使用人も、自分たちの税金で運営されている屋敷を恨めしく思っていました」

乗客はそれぞれの思いに耽りながら黙って聞いていた。ドライバーは続ける。

「ヤヌコーヴィチから分捕って、今は我々市民グループが１００人ほどで管理しています。10分の１の人数で管理するのは大変なのです。ですから、皆さんから入園料をもらっているのです」

後ろを振り向き、ドライバーは私にウインクした。これは何のウインクなのだろうか。腹の突き出た中年男からのウインクは、まさか愛のメッセージではなかろう。外国人の私にウクライナの国情を知ってもらいのだ。海外へ知らせてくれるかも知れないという期待が含まれているのやも。私は大きな相槌で応えた。

スベトラーナは何か考えごとをしているかのように、遠くを眺めている。彼女に問いかけた。

「気分は悪くないかい」

スベトラーナは首を小さく横に振り、

「何ともないわよ。ラジオのシナリオを考えていたの。『ヤヌコーヴィチの屋敷は誰のものか』というタイトルはどうかしら」

「リスナーの心を掴むキャッチフレーズだね」

ドライバーはさらに続けた。

「皆さんはこの屋敷を見て驚かれているようですが、ヤヌコーヴィチの取り巻き連中も、これに負けず劣らずの大きな屋敷に住んでいました。政権は変わりましたが、今の大統領も取り巻きも同じです」

乗客は誰も言葉が出なかった。沈黙のなか、風の音だけが通り過ぎる。

ウクライナ正教会が独立

2019年1月15日

新しい年を迎えてもヤヌコーヴィチの家が頭から離れない。正確に言えば、スベトラーナと行ったヤヌコーヴィチの家が忘れられない。敷地の広さに驚いた彼女の表情、黄金で装飾された部屋を見たときの彼女の瞳、電気自動車が走るとなびいた彼女の長い髪。一つ一つのシーンがありありと思い出される。

あれから彼女は忙しくなり、ゆっくり話す機会がない。昼下がりのほんの少しの時間、ラジオ局近くでコーヒーを飲みながら立ち話をする程度だ。立ち話をしている間にも彼女のスマートフォンはしばしば鳴る。呼び出し音はウクライナ国歌だ。

会えなくなってから、より彼女を求めるようになり、スベトラーナのラジオ番組を聞くことは日課になった。

今日のテーマはウクライナ正教会の独立だ。昨年から擦った揉んだしていた問題にようやく決着が付いた。1月6日、コンスタンチノープル総主教庁の総主教、バルトロメオ1世がウクライナ正教会のロシア正教会からの独立を認めた。ポロシェンコ大統領、年末新たに創設されたウクライナ正教会のエピファニー総主教らがトルコの港湾都市イスタンブールに足を運んでトモス（宗教上の決定文書）を受けた。

スベトラーナの解説はパンチがあり、聞いていて痺れる。

「ウクライナ正教は、ロシア正教会の管轄権を否定するキエフ系とロシア正教会の傘の下に胡坐をかくモスクワ系に分裂して、対立していました。この日、キエフ系が正しいと完全に証明されました。モスクワ系の人たちは、はやくロシアへ行きなさい。そして、二度とウクライナの地を汚《けが》れた足で踏まないで」

モスクワ系がこのラジオを聞いていたら、「トモスは無効だ」と顔を真っ赤にして叫んでいるだろう。

ルガンスクで砲撃

2019年2月1日

今日もスベトラーナのラジオ番組を聞いている。言葉と言葉の間に聞こえる息づかいに年甲斐もなくうっとりする。

速報が入り、スベトラーナの穏やかな口調が突如としてきつくなった。

「ルガノスク州のカテリニウカで、ロシア軍が対戦車ミサイル・システムを使ってウクライナ軍の車両を砲撃しました。1人が死亡、4人が負傷しました。これに対して、ウクライナ軍も反撃し、ロシア軍に被害をもたらしました」

また死者が出てしまった。もしこの若者が弟だったら、もしこの若者が親友だったら、そう考えるだけで怒りと悲しみの混ざり合った感情が沸き起こってくる。1人は単なる数字だが、その1人には名前がある。誰も代わることができないかけがえのない1人。

この怒りは誰に向ければいいのだろうか。それはロシア人しかいない。この悲しみは誰に癒してもらえばいいのだろうか。それはウクライナ人しかいない。

戦闘について一渡り伝えたのち、スベトラーナは語調をやや軽くして曲紹介に移った。

「今、ウクライナ全土で話題になっているフリスチーナ・パナシュクとセーニャ・プリシャジュニーが歌う『私は疲れていない』を流します」

人気歌手の男女が沈んだ面持ちで歌う。東ウクライナでロシア軍と戦っているウクライナ人兵士から街に暮らす一般のウクライナ人へメッセージが込められた歌で、心に突き刺さる。

街で暮らす人びとは「疲れた、疲れた」とよく言うけれど、俺たちは疲れていない、ウクライナのために歯を食いしばって戦うのだ、といった内容だ。

この歌を聞いて、日々の暮らしを改めるウクライナ人は多い。今、街で何もないように平然と暮らせるのは、こうした兵士たちのお陰だと再認識し、自分が恥ずかしくなる。私もその一人に他ならない。

戦時下に大統領選

2019年2月15日

戦時下だというのに大統領選がある。この国はどうなっているのだろう。首を傾げるのは外国人の私だけでなく、ウクライナ人自身もそのようだ。

スベトラーナの声がラジオのスピーカーから響く。

「3月31日に行われる大統領選の候補者届け出が2月6日に締め切られました。任期は5年です。現職のポロシェンコ大統領（53）、失脚から復活したティモシェンコ元首相（58）、人気コメディアンのゼレンスキーさん（41）です。ゼレンスキーさんが出馬するとは思いませんでした。テレビドラマで大統領に転身する教師役を演じて一躍人気者となりましたが、現実に政治の世界に飛び込むとは驚きです」

リクエスト曲を1曲流した後、彼女は大統領選の話題を続けた。

「支持率を見ますと、ポロシェンコ大統領は15・1％、ティモシェンコ元首相は18・2％、ゼレンスキーさんは19％です。3者とも親欧米・反露路線を掲げています。数字に大きな開きはなく、1回目の投票で過半数になる候補が出なければ、4月21日に上位2人による決選投票が実施されます。ロシアとの戦時下で大統領選をすることについて反発の声も上がっています」

ここで、大統領選に対するリスナーから寄せられたメールやファクス、手紙を読み上げる。どれも消極的な意見ばかりだ。パーセンテージではゼレンスキーさんがトップだが、実際はポロシェンコ大統領とティモシェンコ元首相の一騎打ちになりそうだ。

ティモシェンコ元首相は職権乱用罪で実刑になったことがある上に、ロシア国営企業と深い関係にあるため、ロシアの手先ではないかと怪しまれている。ウクライナ国内からロシアを追い払えないポロシェンコ大統領の支持率は低いが、消去法で彼しかいない。

スベトラーナは溜め息まじりの沈んだ声でゆっくりとそう結んだ。

カルパチアワインで乾杯

２０１９年３月１日

「もう一杯いいかしら」

スベトラーナはカルパチアワインをお代わりし、２度目の乾杯をした。

こうして２人でゆっくり食事をするのはいつ以来だろうか。そんなことはどうでもいい。今、こうしてスベトラーナと食事をしている。これだけで充分だ。

昼前にスベトラーナから電話があった。夕方の取材がなくなったという。

「今夜、空いていない？　急に時間ができたの」

「もちろん、空いているよ」

「ああ、良かった」

安堵したスベトラーナの声がスマートフォンから聞こえた瞬間、彼女の香りがふっと鼻先に流れたような気がした。

「中央郵便局前で待ち合わせしよう。何時がいい？」

「18時ちょうどはどうかしら」

「いいよ」

予め作られた芝居の台本のようにすんなり決まった。頭で考えず、口が勝手に動いた。本当に今夕は予定がなかっただろうか。冷静になり、手帳を開いた。今週は毎日夕刻から予定が入っていたが、ドタキャンのため今日だけはぽっかり空いている。神様からのプレゼントだ。

ウクライナでは当日キャンセルは日常茶飯事。日本では、ドタキャンつまり「土壇場でキャンセル」は嫌われる。よほどのことがない限り許されない。ところが、ウクライナでは何でもない。ウクライナに住み始めの頃は、この「常識」に面食らったものだ。前の日に会う約束をしていた友人から、その日になって「今日は君と会う気分ではないので、やめておこう」と電話があり、言葉を失ったことがある。どう返事していいのか分からず、ただ「分かった」としか言えなかった。

そんな習慣も今日はありがたい。取材相手がドタキャンしてくれたお陰でスベトラーナとこうして食事をしているというわけだ。

私ももう一杯カルパチアワインのお代わりをした。

２０１９年３月15日

ユーロビジョン代表降ろされる

カルパチアワインは口当たりがよくほの甘い。さらにお代わりして、３杯目の乾杯をした。

「愛のために」

ウクライナでは、3杯目の乾杯は「愛のために」となっている。日本では太宰治が嫌うキザな台詞だが、こちらでは当たり前だ。誰への愛か、誰からの愛か、誰と誰との愛かは問わない。ただ愛のために左手で杯を挙げる。

話がユーロビジョンに移った。

「ウクライナ代表がマルヴに決まったのに、イスラエルでの決勝戦の前に降ろされたわ」

スベトラーナは下唇を噛んだ。女が下唇を噛むほど醜いものはない。こんなにもしなやかで美しいスベトラーナでさえ、下唇を噛む仕草は許せない。下唇を噛む女の仕草にエロスを感じる男がいるが、到底理解できない。

「人気歌手のアンナ・コルスンだね。どういう理由で降ろされたんだい」

「まったく、強情すぎるのよ。彼女のフェイスブックを見た？　ユーロビジョンの参加を政治家に利用されたくないと書き込んだのよ」

「見ていないな。しかし、どうしてそんな書き込みをしたんだい」

「ロシアでの演奏活動をしないよう国が義務づけたの。それに反発したのよ」

「ウクライナとロシアは戦争しているのだから、国の言い分はもっともだ。敵国でコンサートをするなんて以ての外だね。まだ若いから、よく分からないのでは」

「若いといっても、もう27よ」

スベトラーナはまた下唇を噛む。その仕草を見るに忍び難く、ワインをお代わりしないかと尋ねる。もちろんいただくわという表情を見せる。

4回目の乾杯、5杯目の乾杯、6杯目の乾杯と続く。さすがに酔いが回ってきた。酔うほどにスベトラーナの表情は柔らかくなり、下唇を噛まなくなっていた。

大統領選前夜

2019年4月1日

ほろ酔い気分で気づかなかったが、トイレから戻ると隣席の2人がエキサイティングしている。どこにでもいるような中年夫婦だが、奥さんが激昂して声がどんどん大きくなっている。ご主人の方も発言するが、9割方奥さんがまくし立てている。

「男は黙ってサッポロビール」という広告が随分前にあったが、ウクライナ男性はまさにこれだ。沈黙が美徳であり、男らしさとされている。ベラベラ喋る男性は蔑まれる。どんな状況でも、女性の発言を静かに聞いてゆったり構えるのがよしとされている。

隣席のカップルも例に漏れず、ご主人は奥さんの発言を我慢強く受け止めている。それでも、時折ボソボソと語る。

「どんなに公平に見ても、戦争中に大統領選はないよ」

3月31日に行われるウクライナ大統領選が争点らしい。ご主人の発言がカンに触ったらしく、奥さんの声がさらに大きくなる。

「国を建て直すために大統領選は必要なのよ。あなたは何も分かっていないわ。モスクワ生まれだから」

モスクワという単語に反応して、他の客の視線が奥さんに集まった。さすがにまずいと思ったのか、奥さんは口を閉ざした。ご主人が語気を強めて宥《なだ》めた。

「ここで話す話題ではないだろう。私はウクライナ人だよ。ウクライナのために命だって捧げることができる」

ビールをあおってさらに続けた。

「5年前のマイダン革命のときを思い出せば、僕の言っていることが分かるよ。ウクライナ国内の動乱に乗じて、プーチンはクリミア半島をウクライナからもぎ取り、さらに東ウクライナに進駐したではないか」

奥さんはじっと聞いている。

「プーチンは今回も漁夫の利を狙っている。だから、今は大統領選などしている場合ではないんだよ」

コメディアンが大統領になるか

2019年4月15日

ロマンチックな夕食になるはずだったが、隣席の中年夫婦が激しい政治論争を始めたので、私とスベトラーナの話題も大統領選となった。

酒を飲んで政治の話をするのはよくない。判断力を失い、その上気持ちが高ぶり、考えがまとまらないだけではなく暴力的にさえなる。宗教の話をするのもよくない。心の底が掻き乱れ、その結果殴り合いまで発展することさえある。さすがに我々2人はそんな事態になることはなかったが、穏やかではなくなった。

翌朝、スベトラーナの体調が気になり電話をすると、すでに出勤の用意をしているようだ。

「昨夜はご馳走さまでした。楽しかったわ」

スベトラーナの明るい声を聞いて、胸をなで下ろした。

ラジオを通して聞く彼女の声は艶っぽいが、電話だとさらに艶かしい。

そんなことを思いながら、ラジオのスイッチを入れる。ほどなくしてスベトラーナの番組が始まった。

「任期満了に伴う大統領選の投開票が3月31日に行われ、コメディアンのウラジーミル・ゼレンスキー氏が30・33％、現職のペトロ・ポロシェンコ大統領が16・01％を獲得しました。ユリヤ・ティモシェンコ元首相は13・29％と引き離されました。史上最多の39候補が出馬し、投票率は63・52％でした。過半数を獲得する候補者がいないので、上位2人による決選投票が4月21日に行われます」

一息置き、少し砕けた口調でスベトラーナは続けた。

「2015年に南米グアテマラで行われた大統領選で、政治経験のないコメディアン、ジミー・モラレス氏が当選しました。映画『ソンブレロをかぶった大統領』で、大統領をめざす田舎のカウボーイを演じて一躍人気者に。当時46歳。ゼレンスキー氏は現在41歳です」

大統領選の決選投票日

2019年5月1日

オープンカフェで遅めのランチをとっていると、初老の婦人グループが大きな声で話しながら入ってきた。テーブルに腰掛けても話が切れないようで、メニューも見ずに喋り続けている。

概して婦人グループの話はおもしろく、物書きにとっては格好のネタと言える。コーヒーをすすりながらその会話に聞き耳を立てる。

どうやら選挙に行ってきたようだ。今日、4月21日は大統領選の決選投票日。ポロシェンコとゼレンスキーの一騎打ちだ。

インテリの友人たちはこぞってゼレンスキー批判をしていた。政治経験ゼロの青二才コメディアンに何ができるのかと。しかもずるいユダヤ人。彼に比べると、ポロシェンコの方がマシだ。年齢、職業、人種に対する差別発言はウクライナでは日常茶飯事のこと。

隣の婦人グループの内容はインテリの友人たちとはかなり違う。5人の婦人の中でボス的な風貌の1人が口を大きく広げた。

「選挙公報や新聞記事、ネット情報でゼレンスキーとポロシェンコのリサーチを随分したわ。もちろん、演説も実際に聞きに行った。汚職や守旧派と闘っているのはテレビの中だけだとゼレンスキーを批判する人がいるけれど、私は決してそう思わない。彼の目には力があり、言葉には真実が宿っている。ポロシェンコは5年の間に何も変えることができなかったわ。クリミアを取られ、ドンバスまで攻め込まれているのよ。ロシア軍を追い出すことさえできない彼に次の5年を任せることはできないわ」

一気にここまで話すと、後の4人も「そうだ、そうだ」と頷き同調する。横から別の婦人が口を開いた。

「ゼレンスキーなら今のウクライナを変えてくれるわ。もっともっと住みやすい国にしてくれるわ」

生活者の声の束がゼレンスキーを大統領へと押し上げたのだ。

41歳コメディアン大統領誕生

２０１９年５月15日

大方の予想通り、ゼレンスキーが現職ポロシェンコを破った。41歳のコメディアンが第6代大統領に選ばれた。73％対24％という圧勝。

どのチャンネルを押しても、テレビ画面にはゼレンスキーの眩いばかりの笑顔が映し出されている。さすがテレビ慣れしている。喜びの感情をお茶の間に伝えようと巧みに顔の筋肉を動かす。顔だけでなく、手の先から足の先に至るまでありとあらゆる筋肉を動かし自分が国民に対していかに感謝しているかを表現している。

ドアのチャイムが鳴った。覗き穴の向こうにいるのは真っ赤な顔をしたタラス教授だ。

ドアを開けると、「近くまで来たので」と言って彼は鼻の頭を掻いた。嘘のつけない男で、口実だとありありと分かる。

「ま、入ってください」

「ありがとうございます」

タラス教授は椅子に腰掛けると、ビニール袋からウオツカの瓶を2本取り出した。

「大丈夫ですか。もうかなり引っ掛けてこられたのではないですか」

首を大きく振り、「まだまだ大丈夫です。一緒に飲みましょう」と教授は瓶の封を切った。様子からして祝杯ではなさそうだ。珍しく表情がぎこちなく、苛立っているように見受けられる。

「大統領が決まりましたね」

私のこの言葉が引き金になり、タラス教授の政治講義が始まった。彼の専門は政治史だ。

「ウクライナ国民は政治というものを全く理解していない。テレビの人気投票とは違うのです。ゼレンスキー1人では何もできるはずがありません。テレビでは活躍していますが……。ポロシェンコに対する国民の失望はよく分かります。だからと言って……」

これ以上言葉を続けることができなくなり、タラス教授はウオツカを自らコップに注ぎ一気に呷った。

基盤固めする新大統領

2019年6月1日

なんだかんだと言いながら、ウオツカの瓶が2本とも空になった。タラス教授もいける口だ。飲むペースを考えると、タラス教授が1人でほぼ2本を飲み干したことになる。私はウオツカグラスに5杯飲んだだけだ。それでも目の前のテーブルが揺れて見える。5杯ではなく、6杯か7杯かもしれない。記憶が定かでない。いささか胸がムカムカし出した。すきっ腹に飲んだのがいけなかったのだろう。干し魚とチョコレートをあてにガンガン行ったのがまずかった。

タラス教授は目が座っている。酔いつぶれるどころか、かえって背筋が伸び、語気が激しくなっている。

「ゼレンスキーが立ち上げた政党『人民のしもべ』は議席0です。議席を持たない大統領に何ができると言うのですか。お笑い種です」

「10月下旬に予定されていた最高会議選挙を3ヵ月前倒しにするそうですよ。ここで基盤を固めるのではないでしょうか。真反対にいる人はともかく、どっち付かずの人たちがゼレンスキーにすり寄って行く可能性大と言われています」

「いや、それはないでしょう。コメディアンの若造に対して議会が反発しています」

「分かりませんよ。人間の浅ましい心根がひょっこり顔を出すかもしれません。日本には『昨日の敵は今日の友』という諺がありますから」

「確かに……」

タラス教授は首を振りながら大きなため息をついた。

「『ブルータス、お前もか』ですか。人間誰しも、状況によってどっちに転ぶか分かりませんね」

私は追い討ちをかけた。

「日本には『長い物には巻かれよ』という諺もありますよ」

タラス教授はうなだれた。

ゼレンスキーの本性

2019年6月15日

タラス教授は私の目を覗き込む。いつもの温和な表情は消え、眼光鋭く冷たささえも感じられる。

「私がゼレンスキーを嫌う本当の理由を教えましょう。彼ではウクライナを正しい道に導けないのです。なぜなら、彼はレギオナールというグループの一員なのです。そのグループの親分は何を隠そうロシアに逃げた元大統領ヤヌコーヴィチです」

「ヤヌコーヴィチがプーチンの手下ということは、ゼレンスキーもプーチンの手中で転がされているということですか」

目を閉じてタラス教授は頷いた。

「その通りです。ようやく分かっていただきましたか」

固い表情が少しばかり和らいだ。反対に私の顔が引きつった。

「5年もの間、ウクライナはロシアと戦ってきたというのに、流された血は無駄になるというのですか」

今度はタラス教授が私を宥めようと口調を和らげた。

「その可能性が大きいので、危惧しているのです。ゼレンスキーは当初からプーチンとの対話で今の状況を打開すると力説してきましたが、うがった見方をすれば、対話で解決できなければ、武器を捨ててプーチンに屈服するという意思表示でもあります」

「そんなことってあるのですか」

「十分に考えられます。プーチンはソ連の再建を本気で考えているのですから。そのためには、まずウクライナを我が物にしなければ始まらないのです。ロシアとヨーロッパの間に位置するウクライナが、ロシアに付くかヨーロッパに付くかで大きく違います。ウクライナは地政学的に最重要ポイントなのです」

風に流されやすい一般国民

２０１９年７月１日

「そんなゼレンスキーがなぜ大統領に選ばれたのですか。彼が売国奴だと国民は分かっているのですか」

言葉にできない怒りとやるせなさが込み上げてきて、タラス教授に反論とも抗議ともいえる質問をぶつけた。つい先程までとは立場が全く反対になった。

タラス教授は話すスピードを落とし、高ぶった私の感情を抑えようとする。

「風です。風が吹いたのです。一般国民は風に流されやすいのです」

「風ですか」と言いながら、８千キロメートル彼方の大阪を思った。

「汚職まみれの政治家を叩きのめすゼレンスキーという虚像がテレビやインターネットを通してウクライナ全土に広がり、物事を深く考えることのない国民に浸透してしまいました。それが『風』です。風には実体がなく、見ることも捉えることもできません。一旦風が吹き始めると、風速が強まり、誰も止めることができません」

「では、風は永遠に吹き続けるのでしょうか」

剽軽な表情を作り、タラス教授は肩をすくめた。

「そんなことはありません。いつまでも続く風などありません。いつか風は止まります。どんなに強くとも……。その後、長閑な日が始まります。しかし、すぐにまた新しい風が吹き始めるのです。雨や雷だって加わります。自然界も人間界も同じなのです。相似の関係です」

抽象的な話にも関わらず、タラス教授の話を聞いていると目の前にありありと映像が表れてくるから不思議だ。

そういえば、日本でも東京都知事や大阪府知事の席にコメディアンが座ったことがあった。しかし、どちらもお粗末な終わり方で、都民や府民をがっかりさせた。同時に、「やはりその程度だったのか」と化けの皮が剥がれた素顔に納得もした。

2019年7月15日

富豪コロモイスキーの傀儡

咳払いをして、タラス教授は続けた。

「日本のコメディアンが政界で活躍できるのは、誰かバックがいるからですか」

どういう意味が込められた言葉なのか図ることができないまま、曖昧に答えた。

「そうですね。資金的援助をする人がいると思います」

タラス教授は右手を口許にやり、人差し指を下唇に何度も擦り付ける。

「やはり、日本でもそうですか。ウクライナも同じです。ゼレンスキーは富豪コロモイスキーの傀儡なのです」

「ポロシェンコと対立するあのコロモイスキーが動いていたのですね」

「その通りです。彼は大物なので、自分では動かないのです。あなたもご存じのように、ウクライナでは大物は動きません。金を使って人を動かし、物事を成し遂げるのです」

「では、人気テレビ番組『国民のしもべ』のスポンサーはコロモイスキーだったのですね」

「冴えてきましたね。その通り。普通の高校教師が政治家の汚職を叩き潰しながら、大統領まで登り詰めるというストーリーはコロモイスキーが考え出したのです。この番組をテレビで3年間放映し続けたのです」

私は思わず手を叩いた。

「そして、国民は洗脳されてしまったというわけなのですね」

タラス教授は首を深く縦に振った。

「議会に仲間もおらず、突然大統領になったゼレンスキーは、このあと持ちますか」

小さな笑みを浮かべ、タラス教授は答えた。

「そこが問題です。任期の5年持つかどうか分かりません。1年半続くかどうかも危ういです」

表情を険しくし、声色を低く変える。

「あなたはゼレンスキーに投票した人に会ったことがありますか」

私は思わず天井に目をやり、記憶を辿った。

「誰もいません」

「私もそうです。選挙自体、怪しいものです」

2019年8月1日

「国民のしもべ」が第1党に

テレビの選挙速報を見ながら、タラス教授の苦虫を噛み潰したような表情を思い浮かべた。

当初は10月に予定されていたウクライナ議会選だったが、ゼレンスキー新大統領は四面楚歌の状態で持たないと判断し、前倒しして今日7月21日に断行したのだ。1院制、定数450だが、クリミア半島や東部では選挙ができないので、424議席となっている。

ゼレンスキーは富豪コロモイスキーの傀儡として大統領となったものの、新しく作った政党「国民のしもべ」を支援する人は少ないと考えていたタラス教授の希望的予想は大いに覆された。選挙結果は、「国民のしもべ」42%超で第1党に。親ロ派政党「野党連合」13%、ポロシェンコ前大統領の「欧州連合」8・6%、ティモシェンコ元首相の「祖国」8%、人気歌手バカルチュクの新党「声」6・4%。当初ゼレンスキーは「声」と組む意向を示していたが、単独過半数を確保できることが分かった途端、手を結ぶことをやめる声明を出した。

それにしても、「欧州連合」がここまで不人気なのかと驚かされる。キエフだけでなく、各都市のあちこちにポロシェンコの大きなポスターを掲げて挑んだ選挙戦だったが、無残とも言える数字だ。ポスターには「EUに入ろう」と書かれている。国民は、汚職まみれのプロの政治家よりも素人の人気者がいいのだ。言葉だけのEU入り、ロシア対抗措置に疲れ果てたのだろう。

2500年前に書かれた中国の兵法書「孫子」は、長期戦がいかに国力を損なわせ、国民を不幸にするかを説いている。ロシアとの戦争で費やした5年の歳月は長過ぎた。今後もいつ終わるとも知れない戦い。国民は疲れ切っているのだ。

タラス教授の急死

2019年8月15日

50歳で亡くなるのは早過ぎる。タラス教授の眠る棺桶に赤いカーネーションを2本入れると、胸が詰まり動けなくなった。安らかな顔をしている。ウクライナの政治を嘆き、ウオツカを飲みながら持論を熱く語っていたのが遠い昔のように思えて仕方ない……。

噂をすれば影がさすとはいうが、タラス教授のことをぼんやり考えていると彼の学生から電話があった。スマートフォンの画面に知らない電話番号が表示されたので、誰だろうと思いつつ取ってみると、訃報の知らせだった。何かの間違いではないかと思った。ついこの間、うちでウオツカを酌み交わしたばかりではないか。人違いではと問い質したが、間違いなくタラス教授だった。なぜ、どうして。取り乱して学生に質問をぶつけたが、彼も細かい事情を聞かされていないようで、葬儀の日と場所を聞きだすのがやっとだった。

学者会館に入ると、あちらこちらですすり泣く声が聞こえる。思ったよりも人が集まっている。100人以上だ。人懐っこいタラス教授を多くの人が慕っていたのだ。それぞれがタラス教授との思い出を持っており、懐かしんでいる。

参列者を前に奥さんがお礼の挨拶をする時間に。

「早起きの主人が起きないので、おかしいと思いながら起こしにいくと、冷たくなっていました。朝方に心臓が止まったようです」

ここまで話すと、言葉が詰まり、頬を涙がつたった。参列者は黙って見守る。やがて意を決し、深呼吸すると続けた。

「前の晩、笑顔で私にこう言ってくれました。『今夜のボルシチは最高に美味しかったよ。ありがとう』と。感謝の言葉が口癖の主人でしたが、この日の言葉は特別でした。亡くなったからそう思うのかもしれませんが、確かに特別でした」

私たちしかいない

2019年9月1日

何日経ってもタラス教授の面影が目の前から消えない。ややこもり気味の野太い声が聞こえてくるようだ。

9月8日に行われるロシア統一地方選を前に反プーチンの勢いが止まらない。生前、タラス教授は口癖のように言っていた。「ロシアの内部崩壊はすでに始まっています」。この動きがその表れなのかも知れない。ウクライナと対峙するロシアを見る目も鋭かった。

2014年にロシアがクリミアを武力併合したのにはわけがあった。プーチンが首相から大統領に復帰した２０１２年、プーチン支持率がどんどん落ちていった。盛り返すのには、誰もがあっと驚くカンフル注射が必要だった。それがクリミア併合だ。60%台のプーチン支持率が、一気に90%へと跳ね上がった。

さらに、調子に乗って東ウクライナへ進駐したものの、ウクライナ人の底力に思うようにはいかなかった。

5年という歳月が流れ、まだ戦いが終わらない。ウクライナの経済は疲弊してしまったが、ロシアはそれ以上だ。決して触れてはならないところにまで手をつける事態に陥った。

昨年6月、ロシア政府は年金支給開始年齢の引き上げを発表したのだ。国民の堪忍袋の緒が切れた。抗議集会やデモが相次いで起こり、止まらない。

ロシア政府は押さえ込みにかかるが、徒労に終わる感すらある。政権批判する野党や独立系無所属候補らの出馬が不当な理由で認められないと分かると、国民はさらに騒ぐ。火に油を注ぐようなものだ。

「私たちしかいない」。ウクライナ全土で人気のこの勇ましい歌には、ロシアを追い出すことができるのは私たちだけだという若者の強い思いが込められている。今、ウクライナからロシアを追い出す時だ。

プログラマーをヘッドハンティング

２０１９年９月25日

タラス教授が亡くなり、気分が沈んでいるときに日本から友人がやってきた。「朋有り遠方より来る」とはこのことかと論語を思い出す。

菅野君とは天理大学で共にロシア語を学んだ仲だ。１回生、２回生のときは毎日１時限目からロシアの詩や散文を書き写すテストがあった。丸暗記しなければならない。当時は毎日が苦しかった。まさにロシア語漬けだ。後年、シュリーマンの書いた「古代への情熱」を岩波文庫で読み、この学習方法が王道だと分かった。そのお陰でロシア語を操れるようになったのだから、当時の教授陣には感謝しかない。

ボリスポリ空港へ菅野君を迎えに行くと、学生時代と変わらない素朴な笑顔を見せた。会うのは10年ぶりだろうか。しかし、昨日会ったような感覚がするから不思議だ。

私のアパートに荷物を置き、近くにあるレストランへ入った。まずは濁りビールで乾杯。前菜、ボルシチ、ワレニキと次々運ばれてくる。

菅野君はコンピュータ会社に勤めており、ウクライナのプログラマーをヘッドハンティングしにきたという。

「日本では、今、ウクライナやロシアのプログラマーが重宝されているんだ。いや、アメリカやカナダなどでも……。東京の楽天にはロシア村ができているぐらいだよ」

「またどうして？」

「ウクライナやロシアのプログラマーは優秀なんだ。プログラマーの方でも、優秀で高収入ならば、すぐに日本のパスポートがもらえるから魅力的なんだ」

「え、帰化するのは大変だろう」

菅野君は笑みを浮かべて首を横に振った。

「少子高齢化の日本は、優秀な外国人を取り込むのに必死なんだ。コード01という特別枠の外国人は、全てを飛び越えて日本国籍がすぐにもらえるんだよ」

ウクライナをロシアに売る大統領

2019年10月1日

3杯目のジョッキを空にすると、菅野君は身を乗り出して眼光するどく質問を投げかけてきた。

「日本の報道では、ウクライナとロシアは和平に向かって進んでいるというが、本当のところどうなんだ」

「9月7日にウクライナとロシアが捕虜や政治犯35人ずつ交換したことが報道されているんだね」

菅野君は首を大きく縦に振った。

ウクライナはマレーシア機撃墜事件を目撃した親ロ派武装勢力構成員チェマフらを引き渡し、一方ロシアは黒海で拘束したウクライナ船艦の乗組員24人と著名な映画監督センツォフらを解放した。

「プーチンとゼレンスキーが電話で話し、停戦に向けて取り組もうとしているようだね。トランプも得意のツイッターで大きく評価している」

彼の言葉を遮った。

「思考停止しているウクライナ人以外は、この動きに危機感を感じているんだ。ゼレンスキーはプーチンの子分のようなもので、ウクライナをロシアに売る気だよ。最高会議選を7月に前倒しして過半数を獲得、8月末には自分の言いなりになるホンチャルクを首相に据え、着々とその計画を進めている」

「ということは、捕虜や政治犯の交換は、ロシアに寝返る一歩なのかい」

「そういうことになる。マレーシア機撃墜事件の捜査を続けているオランダはチェマフの引き渡しに対して反対したけれど、ゼレンスキーは無視して実行した。大統領という大きな力を得て、彼はプーチンの指示通り何でもやってしまう。ウクライナとロシアが対等な立場で和平実現できればいいが、それは幻想でしかない」

「日本にはそんな空気はまったく伝わってこないよ」

「日本は平和ボケしているからだ。ロシアに攻め込まれる前のウクライナによく似ていて、怖い」

菅野君は言葉を失った。

ウクライナ疑惑でZeの本性が見える

２０１９年10月15日

コンピューター会社を経営しているタラス社長と奥さんのニーナが店に入ってきた。菅野君に紹介しようと思い前日電話すると、他に予定が入っていたようだった。しかし、日本からわざわざやって来ると聞いて、予定を変更しここに来てくれた。

我々がゼレンスキー批判を肴にして飲んでいると分かると、乾杯もそこそこでニーナが新しい話題を提供した。

「ウクライナ疑惑が浮上していますが、Ｚｅの本性が見えたわ」

言葉遣いはエレガントながら、内容は手厳しい。ゼレンスキーを蔑称のＺｅで呼ぶことからして、反ゼレンスキーの立場が窺い知れる。

事の顛末はこうだ。トランプ米大統領が、バイデン前副大統領の息子ハンターの調査をするようゼレンスキーに圧力をかけた。

ハンターはウクライナのガス採掘会社で役員を務めており、資金洗浄疑惑があった。捜査をしていたウクライナの検事総長を解任するようバイデンはウクライナ政府高官に働きかけ、実際そうなった。２０１６年のことだ。

２０２０年の米大統領選を前に、トランプは政敵バイデンを叩きのめすため、ゼレンスキーに圧力をかけこのことを蒸し返したというわけだ。

トランプとゼレンスキーの電話会談の内容が公表された。ゼレンスキーの同意なしに。

ニーナは青い目を静かに閉じて続けた。

「Ｚｅはトランプに対してこう言ったのよ。次の検事総長は１００％私側の人が就任します、と。政治腐敗を一掃してくれると信じて国民はＺｅに投票したの。これでは、今までの政治家と同じじゃない。公約を破ったのだから、もっと悪いわ」

タラス社長は顎髭を右手で掴みながら、大きな溜め息をついた。ゼレンスキーに対する期待を裏切られた落胆が溜め息には込められていた。

滑稽すぎるZe

2019年11月1日

「ゼレンスキー大統領はそれほどまでに不人気なのですね」

菅野君は目を丸くしてタラス社長に話を向けた。タラス社長が口を開く前にニーナが遮ってこう言った。

「Zeに票を入れた人に私はまだ会ったことがないわ。当選したということは誰かが票を入れたのでしょうけれど、一体どこの誰が入れたのでしょうか」

ニーナはよほどゼレンスキーを嫌っているようで、鼻息が荒い。

菅野君がこれはどうだという表情で別の話題を出した。

「天皇陛下の即位礼正殿の儀にゼレンスキー大統領とオレーナ夫人が出席しましたが、ウクライナ人にとって誉れではありませんか」

ニーナは声を立てて笑いながら首を大きく横に振る。タラス社長は苦笑いをし、こんな話をした。

「テレビやインターネットを見ながら、ウクライナ人は皆笑っています。滑稽すぎるのです。コメディアンが天皇陛下に挨拶しに行った、と。昨日までコメディアンだったのですから、我々にはどうしてもコメディアンとしか映らないのです」

嘲けるような口調でニーナが口を挟んだ。

「フェイスブック上にはＺｅを馬鹿にする書き込みでいっぱいだわ。『北京ではなく東京ですよ』とか、『ソウル行きではなく、東京行きの飛行機に乗りなさい』など、枚挙に遑がないわ。Ｚｅは都市名を間違えてばかりいるのよ。最初の頃はケアレスミスかと思っていたけれど、間違いがあまりに多いので、冗談ではなく誤りだと気付いたのです。このことから分かるように、Ｚｅは無能なの」

タラス社長が続けた。

「Ｚｅは富豪コロモイスキーのマリオネットだからね。指示されるがまま動いているだけです」

これ以上は何を言っても無駄だと観念した菅野君は、ビールを一気に飲み干した。

ウクライナの軍事技術を狙う中国

２０１９年11月15日

タラス社長は顔を曇らせる。

「Ｚｅの振る舞いが注目されていますが、その陰では深刻な事態が起こっています」

「具体的にどういうことになっているのかを教えてください」

菅野君は真っ直ぐにタラス社長の目を覗き込んで問うた。学生時代からこの目は変わっていない。知りたいことや疑問が脳裏に浮かぶと、質問を抑えられなくなる。好奇心いっぱいのギラギラした目で見つめられると、相手は答えないわけにはいかない。知っていることを洗いざらい説明しなければならないという義務感さえ持ってしまう。そんな力のこもった目だ。

タラス社長も例外ではなく、菅野君に対して真摯な態度で答えた。

「ウクライナ疑惑が取り沙汰されるようになり、トランプ米大統領はＺｅに対し表立っては圧力をかけることができなくなってしまいました。そこに付け込むのが中国。ウクライナの持つ軍事技術を狙っているのです」

菅野君は身を乗り出してさらに聞く。

「ウクライナにはどんな軍事技術があるのですか」

「挙げればきりがありません。特に優れているのがヘリコプターのエンジンで、南部ザポリージャの航空エンジン製造企業モトールシーチがターゲットです。同社の最大顧客はロシアで、７割を占めていました。ところが、ウクライナとロシアが戦争となり、取り引きがなくなったのです」

「７割の顧客を失って、潰れないのですか」

「風前の灯火です。９月からは従業員約２万６千人が週休３日制になったということです」

「中国の立場から見ると、大きなチャンスですね」

「その通りです。中国の富豪、王靖が率いる北京天驕航空産業投資（スカイリゾン）が買収しようと躍起になっています」

２０１９年12月１日

話し合いでは戦争は終わらない

ここまで聞いても、菅野君は新聞やインターネットで得た知識をもとにして食い下がる。

「ゼレンスキー大統領は親ロ派支配地域との境界の橋を訪れるなど、現地視察を重ねているというニュースが流れています。見た目は軽いですが、実際はしっかりしているのではありませんか」

タラス社長は一笑に付す。

「あなたが仰っているのは、ルガンスク視察のことですね。軍事衝突で破壊され、最近になって修復された橋ですね」

菅野君は満足げに笑みを浮かべた。

「その通りです。こういった地道な努力の結果、12月9日にドイツとフランスが仲介となり、ウクライナとロシアが和平に向けて話し合いをすることが決まったのではありませんか。実に3年ぶりの会談です」

あなたは何を考え違いしているのだという表情をありありと見せて、タラス社長は首を大きく横に振った。そして、厳しい口調になった。

「その考え方は非常に甘いと思います。Zeは戦争を止める公約を掲げて当選したのですが、話が思ったように進まず、かなり焦っています」

プーチンの子分であるZeは、プーチンの言いなりになってしまえば簡単に戦争を終わらすことができる。しかし、それでは国民が許さない。いざとなれば会社のトップであろうが、国のトップであろうが、追放する力をウクライナ国民は持っている。ヤヌコーヴィチ元大統領がいい例だ。ゼレンスキーの後ろに富豪コロモイスキーがいるが、革命が起これば力は及ばない。

タラス社長は続ける。

「4ヵ国首脳会談が開かれたとしても、プーチンは後に引くようなことはありません。かといって、Zeがロシアの言い分を呑むようなことになると、国民は黙っていません。ですから、話し合いでは戦争は終わらないのです」

レディーファースト

2019年12月15日

「私の言葉が嘘か本当か、確かめに行きませんか」

タラス社長が菅野君を誘う。菅野君は「ぜひ」と目を輝かせる。

店員の女の子に目配せし呼び寄せると、タラス社長は日々の仕事のようになれた様子で支払いを済ませる。クレジットカードが差し込まれた端末機に4桁のピンコードを入力し、ウインクする。チップを確認したよという合図だ。

「馴染みの店員ですか」

菅野君が無粋な質問をすると、曖昧な作り笑顔で「このレストランは初めてです」と小声でかわした。おそらく、タラス社長はどこのレストランへ行ってもこのような大らかな態度で振舞っているのだろう。

店員の男の子がコートを持ってくると、タラス社長は一番に奥さんのコートを受け取り、背後に回って着せる。ニーナはミンクで出来たふかふかのコートに身を包み「ありがとう」と夫に微笑む。

日本では目にすることがあまりない光景に面食らったようで、菅野君はぼんやり眺めている。

「菅野君、そんなに珍しいか。ウクライナではレディーファーストだよ」

私の方に振り返り、菅野君は首を縦に2度ほど振る。

その表情があまりに滑稽なので、吹き出してしまった。それにつられて、菅野君も笑い出す。

日本人が2人して何を騒いでいるのかと、タラス社長とニーナは出口で首をかしげている。

「何でもありません。すぐに参ります」

そう言って取り繕い、急いでコートを着て出口へ向かった。

外に出ると、冷たい風が頬に当たった。地球温暖化でキエフの冬も暖かくなったとはいえ、12月に入り、やはり街は冬景色そのものだ。

粉雪が舞う地下鉄

2020年1月1日

中心への道路は混んでいるので、地下鉄で行くことにした。目の前にダーリニッツァ駅がある。地下鉄の駅といっても、郊外は地上だ。

轟音を立てながら電車がホームに入る。降りる人はほとんどおらず、乗る人ばかりだ。腰の曲がった老婆も一緒に乗り込むと、大学生らしき青年がさっと立ち上がって「どうぞ」と促す。「ありがとう」と老婆は腰掛ける。

菅野君が驚くような目で見ている。

「この国ではシルバーシートなどいらないね」

「もちろんだよ。だからないのだよ」

私が得意げに答えると、菅野君は呟くように漏らした。

「日本も見習うべきだね。シルバーシートでさえお年寄りに譲らない日本は考えものだ」

地下鉄は金属音を立てながら市街地へ向かって進む。天井の隙間からは粉雪が入り込み、車内を舞っている。やがて溶けて消える。

4駅を越えてフレシチャーティク駅に到着した。

「ここです」

タラス社長の合図で降りる。

エスカレーターの前に来て、菅野君は目を丸くしている。

「このエスカレーター、ものすごいスピードだね」

「早く乗ってください。後ろから人が来るので、危ないです」

タラス社長が声を掛けると、菅野君は思い切って飛び乗る。屁っ放り腰がおかしいのか、ニーナは噴き出す。タラス社長も頬を緩ませる。

「何とか乗りました。それにしても、ジェットコースター並みのスピードだね」

「菅野君、それはオーバーだよ」

とたしなめつつ、私も初めて乗ったとき同じセリフを友人に言ったことを思い出した。

菅野君は興奮気味だ。

「このエスカレーターは長いですね。一番上が見えないほど……」

タラス社長が小さな咳払いをして、説明した。

「ソ連時代、地下鉄の駅は核シェルターとして作られました。だから、こんなにも深いのですよ」

ゼレンスキー、フイロ！

2020年1月15日

地上に出ると、いつも以上にフレシチャーティク通りは賑わっている。タラス社長について歩く。ウクライナ人は概して足が早い。ついていくのに苦労する。足が長いという理由もあるが、歩き慣れているというのが一番の理由だろう。1時間や2時間は平気で歩く。ちょっと歩きましょうと誘われたら用心しなければならない。日本人のちょっとは10分程度だが、ウクライナ人のちょっとは優に2時間を超える。菅野君も息を切らしながら歩いている。

10分も歩くと、大統領官邸が見えてきた。日本人時間のちょっとで良かったと内心ほっとする。人、人、人……。官邸は人で取り囲まれている。しかも、筋骨隆々のいかにも恐そうな若者たち。テントを張ってお粥やボルシチを煮込んでいるグループもいる。マイダン革命を思い出し、圧倒された。


「皆、怒っています」

タラス社長は状況を説明する。ニーナはおっかない表情を見せ、夫にぴったりくっついている。

「何に対して怒っているのですか。ロシアと捕虜の交換も年末に行われたではありませんか」

菅野君は例の真っ直ぐな瞳を光らせながら質問する。

「それはそうですが、2014年に銃撃事件に関わったとされる被告5人をウクライナ政府が親ロシア派へ引き渡したのはよくありませんでした」

「どういうことですか」

「2014年2月、マイダンで政府に抗議する市民100人以上をヤヌコーヴィチ元大統領の治安部隊員が銃撃したのです。ヤヌコーヴィチはロシアへ逃げて難を逃れましたが、彼らは捨てられたのです。哀れといえば哀れですが、遺族にとっては当然許せません」

そのとき、雄叫びが上がった。

「ゼレンスキー、フイロ！　ゼレンスキー、フイロ！」

妻に気を遣いながらタラス社長は解説した。

「『ゼレンスキー、ちんぽこ野郎！』となじっています」

ウクライナ国際航空752便撃墜

2020年2月1日

人で渦巻いている大統領官邸から離れ、マイダンまで歩き、コーヒーでも飲んで落ち着こうということで、カフェに入った。

人の勢いに圧倒されて、菅野君はまだぼんやりしており、マグカップに入ったコーヒーを両手で抱え、コーヒーの香りで気持ちを落ち着かせようとしている。ニーナは疲れたような表情を見せており、レモンと砂糖をたっぷり入れたアールグレイを飲みながら夫にもたれかかっている。タラス社長だけは変わらず落ち着いた態度でブラックコーヒーをすすっている。

以前の私は菅野君寄りだったが、今ではタラス社長寄りだ。オレンジ革命、マイダン革命を経て私の軟弱な精神も鍛えられたものだと自分でも驚く。

言葉数少なく時間が流れる。

突然、隣の若者2人がスマートフォンを見ながら騒ぎ出した。どうやらテヘランを飛び立ったキエフ行きウクライナ国際航空752便が撃墜されたという。乗員乗客176人全員が死亡。

その話が聞こえ、こちらもスマートフォンを取り出してニュースを確認した。2014年夏のマレーシア航空17便撃墜事件を思い出し、目眩がした。乗員乗客298人全員が死亡し、世界を騒然とさせた。ロシアによるものだと世界が判断したにも関わらず、ロシアはシラを切り通し、有耶無耶のまま今に至っている。

ゆったりとしていたタラス社長の表情が一気に曇り、目頭を押さえる。感情豊かなニーナの目には涙が溜り、今にもこぼれ落ちそうだ。

隣の若者が腹を立てながらスマホ画面に向かってつぶやいている。

「これは明らかにイランが手を下したものだ。イスラム革命隊の地対空ミサイルによる撃墜に違いない。イランはシラを切っているが、真実が明るみになるのは時間の問題だ」

策士策に溺れる危険性

2020年2月15日

どの時代でも、どの国でも犠牲になるのはいつも弱い立場の人たちと決まっている。国と国、企業と企業、宗教と宗教……その間の争いで犠牲になるのは、深々と椅子に座っている上層部の人たちではなく、地を這うようにして生きる多くの人たちだ。

菅野君は正義感に溢れた瞳を光らせながら息を荒くしている。先程までのほうけた表情とは打って変わって怒りのオーラに包まれている。

「こんなことは断じて許せません。タラス社長、そうではありませんか」

険しい表情を作り、タラス社長は応える。

「確かにその通りです。しかしながら、現実は現実。受け入れなければなりません」

肚の中は煮え繰り返っているだろうが、理路整然と判断し言葉にする。大きく息を吐いて、続ける。

「中国の武漢市では新型コロナウイルスが蔓延していますが、早くも陰謀説が出ています」

「どういうことですか」と菅野君は食い付く。

「中国の5Gを含めた一帯一路構想を食い止めるべく、米国は中国人のDNAに感染しやすいコロナウイルスを作り、武漢でばら撒いた説です」

菅野君の顔色が真っ青になる。

「そんな噂があるのですか」

「新型コロナウイルスに関する論文がこんなにも早くこんなにもたくさん出るのはおかしいと言わ

れています。準備していたとしか考えられません」

疲れ切った表情でニーナが口を挟んだ。

「武漢市にある細菌兵器研究所から事故で新型コロナウイルスが漏れ出たという説もあるわよ」

タラス社長も知っていた。

「どちらにしても、苦しみ、死ぬのは弱い立場の人たちです。策士策に溺れるという諺がありますが、新型コロナウイルスを制御できなくなったとき、為政者はどうするのでしょうか」

マスクは禁物

2020年3月1日

マイケル・ムーア監督がウクライナをテーマに映画を作ると、どうなるだろうか。彼はアメリカの抱える闇の部分をえぐり出し、映画にして世界に知らせている。映画「華氏911」ではトランプが米国大統領になるまでの茶番劇とオバマが国民の裏切り者であることを一刀両断に描いた。ヒットラーがいかに生まれ巨大な力を持つに至ったかを映像で示しながら説明し、トランプと比較。鮮やかな手法だ。

同作品のウクライナ版を作るとなると……。そんな夢想を抱きながら、タラス社長と菅野君の会話をぼんやり聞いていた。

「それは本当ですか！」

菅野君が大声を上げたので、にわかに我に返った。タラス社長は、慌てて彼をなだめている。

「何事ですか。ぼんやりしていて、聞きそびれました」

そう私が聞くと、タラス社長は目を白黒させながら説明する。

「ウクライナでは決してマスクを着けないでください、とお話ししただけですが……。テレビで見たのです。今、日本では新型コロナウイルスから身を守ろうと街を歩く人のほとんどがマスクを着けていますね。ウクライナ人からすると、ホラー映画のように映るのです」

菅野君は驚いた表情を崩さずに聞いている。

「そういうことなんだ」と言って、私は菅野君の肩を叩いた。そして続けた。

「ウクライナでマスクを着けるということは、重病人ですと公言するようなものなんだ。エイズやエボラ出血熱といった……。そんな重病人が街をウロウロするなんて、しかも大勢の人が……。ホラー映画としか思えないんだよ、ウクライナ人にしてみれば」

タラス社長は私の説明に納得したようだ。表情が柔らかくなっている。一方、菅野君はカルチャーショックで口をポカンと開けたままだ。

新型コロナウイルス感染が落ち着いてから

２０２０年３月15日

気を取り戻し、菅野君はいよいよ本題に入った。

「タラス社長、日本で働いてくれる腕のいいプログラマーをご紹介願いたいのですが……」

私も援護し、菅野君の人間性の良さ、菅野君の会社の健全経営について説明した。

酸いも甘いも噛み分けた経営者だけあって、菅野君の実直な性格はよく分かったようだ。

「優秀なプログラマーはたくさんいます。日本に憧れている若者もいますよ」

妻のニーナが口を挟んだ。

「いつか日本に行ってみたいと日本語を独学しているプログラマーもいるわよ。私の知っているアンドリー君なんか、夏になると、漢字がプリントされたTシャツを着ているわよ」

そういえば、街で漢字入りTシャツを見て、言葉が出ないことがある。「侍」や「芸者」ならまだしも、「痔」や「腐女子」など説明しにくい漢字が大きな活字でプリントされている。しかも、太いゴシック体が使われているので、悪趣味も甚だしい。

新しいファションを求める若者にとって、このゴツゴツとした漢字のプリントされたTシャツがオシャレに映るのだから、不思議で仕方ない。しかし、新しいファッションとは時間と空間を変えることによって、生み出すものなのかもしれない。

ということは、我々も他の国の人から見れば、おかしな物を身に着けているのかもしれない。

タラス社長はためらいながら付け加えた。

「今は時期が悪いですね……。新型コロナウイルス感染が落ち着いてから、話を進めましょう。何せ世界で感染者数が12万4千人を超え、死者が4500人を上回ったのですから。日本は感染者数が600人を超えましたね。ウクライナは現在の感染者数を1人と発表していますが、実際はもっといると思います」

コロナ禍でも砲撃を止めないロシア

2020年4月1日

コロナウイルス禍なので無理を言えず、菅野君はそれ以上のお願いをすることができない。日本で既に動いているプロジェクトは気になるが、どうあがいても仕方ない。

タラス社長は語気を緩める。

「政府は3月16日から外国人の入国を禁止し、4月3日まで続くと言っていますが、延長も考えられます。この際、キエフでゆっくりなさって下さい」

菅野君は肩を落とす。その肩を少々強めに叩いて、私は励ました。

「果報は寝て待て、というではないか」

ニーナが首を傾げた。

「それって、どういう意味なの？」

「日本の諺で、やるべきことをやったら、後は焦らずにじっと待つ方がいい結果を得られるというものです。無駄な動きをすると、かえって失敗してしまうという戒めです」

ニーナは表情をパッと明るくした。表情の変化が豊かなニーナ。これは女性の可愛らしさの特徴でもある。澄ましたり、笑ったり、あるいは悲しげな影を見せたり、喜びに満ちて目を輝かせたり……。秋の空のように変化に富む。それを眺めながら男は楽しむ。フェミニストからは注意を受けそうだが、これが女の性であり、そして男の性なのだから仕方がない。

しかしながら、これも時代によって変わるのかもしれない。江戸時代は「男心と秋の空」といわれていたので。

「それにしても、ロシアは一体何を考えているのだろうか」

タラス社長は新聞を広げながら、眉間にしわを寄せる。

「どんなことが書かれているのですか」

私の問いに対して、彼は新聞記事を示しながら首をゆっくり横に振る。

「ウクライナもロシアも新型コロナウイルス感染拡大で大変なときに、ドンバスではロシア軍が砲撃を止めません。また死者が出ました」

615の墓穴を用意するドニプロ市

2020年4月15日

3月24日ウクライナ全土に非常状態が発令され、検疫措置が実施されている。4月24日まで続く予定だ。

マンションの部屋に引きこもり1週間が過ぎた。カフェでタラス社長、ニーナ、菅野君と交わした会話が懐かしく感じられる。ついこの前のことながら、ずっと遠い昔のように思えてしまう。

在ウクライナ日本大使館のホームページを眺めながら、ため息をつく。

「文化施設、ショッピングセンター、レストラン、カフェ、フィットネスセンター、飲食店、娯楽サービス施設の客の受け入れ禁止。食料品店、日用品店、ガソリンスタンド、薬局、銀行、保険会社以外の営業休止。マスクを着用せずに公共の場所に滞在することを禁止。2人を超える人数でまとまって行動することを禁止。公園、広場、休憩所、森林公園、沿岸地区への訪問を禁止。鉄道・航空機・バスによる都市間と州間の旅客移動の禁止。地下鉄の運休。10人を超える人が参加する大規模行事の開催の禁止。検疫違反には罰則がある。行政罰として、市民は1万7千~3万4千グリブナ、公務員は3万4千~34万グリブナの罰金。刑事罰は1万7千~5万1千グリブナの罰金、または3年以下の身体拘束」

さらにネットサーフィンしていると、ぞっとする情報に行き着いた。新型コロナウイルスによる死者増加を見据え、ドニプロ市に615の墓穴と2千枚の遺体袋が用意されたという。

用意したり準備したりすることが苦手なウクライナ人がこんなにも早く墓穴と遺体袋を用意するとは……。コロナの怖さを思い知った。

ウクライナでは2777人が感染、83人が死亡、89人が回復。推定700~2200万人が感染するとウクライナ政府は想定している。

ペチェールシク大修道院で90人以上感染

2020年5月1日

コロナ巣ごもりで部屋にじっといると、毎日が単調に流れていく。そんな生活にリズムを与えてくれるのが、紅茶、コーヒー、緑茶だ。朝は紅茶、昼はコーヒー、夜は緑茶を飲むスタイルになった。

京都に住む友人が錦市場商店街で見付け、EMSで送ってくれた有田焼きのセラミックフィルターがありがたい。「結構いい値がしたわよ」という手紙が添えられていた。京都に住んでいるが、北河内出身なのでズケズケと主張するタイプだ。学生時代からの付き合いだが、お互い男女を意識したことがない。既に二児の母となっているものの、いつまでも学生の頃のボーイッシュなイメージしか思い浮かばない。

真っ黒のフィルターにコーヒー豆を入れてお湯を注ぐだけ。初めて口にしたときの驚きは忘れられない。今まで経験したことのないまろやかなコーヒーが出来上がっている。紅茶も緑茶も、別の新しい飲み物に生まれ変わる。魔法のフィルターのお陰で、生活に潤いが生まれた。

テレビのコロナ特集では、ペチェールシク大修道院のことが取り上げられている。90人以上が新型コロナウイルスに感染したという。「キリストの力でコロナを寄せ付けません。コロナなんて、恐れるに足りません」と豪語していた司祭の映像が流れている。その司祭も新型コロナウイルスに感染して入院中だ。「キリストの力はありません」と公言しているようで悲しい、というコメントが番組に寄せられている。

さらに、政府があれほど止めたにも関わらず、4月18日、19日に行われた復活祭の典礼に人びとは足を運んだ。「テレビ中継を家で見るように」というゼレンスキー大統領の呼びかけを無視して、ウクライナ各地にあるモスクワ聖庁の誘いに人びとは乗ってしまった。ロシアでは教会を封鎖し、典礼をオンライン中継したというのに。

顔が引きつるゼレンスキー大統領

2020年5月15日

テレビ画面に映し出されるゼレンスキー大統領の顔が目に見えて引きつっている。「こんなはずではなかった」。心の声が聞こえてきそうだ。テレビ番組で大統領役をしているときは愉快だった。テレビ画面の中では何でもできる。しかし、現実社会ではそうはいかない。大統領選に勝利したときの酔いしれた気持ちはどこか遠くへ行ってしまった。あのときは、何でもできると自信満々だった。プーチンと渡り合い、東ウクライナからロシア軍を追いやるなんて朝飯前だと高を括っていた。ロシア軍を追い出した後は、人気者の大統領になる。1期5年でさっさと大統領を辞め、コメディアンとして世界へ打って出よう。

そんなことを考えていた矢先に新型コロナウイルスが世界中に感染し、ウクライナまでやって来た。感染者は増える一方、粗末な医療設備では十分な対応ができない。しかも、コロナ禍の真っ只中だというのに、ロシア軍は東ウクライナから撤退せず、攻撃の手すら緩めない。

ロシア軍に攻撃され、コロナに痛めつけられては、ゼレンスキーでなくとも泣きたくなるだろう。こんなやり取りを、今、Ｚｏｏｍを使って3人で喋っている。ホテルに缶詰め状態になり帰国できない菅野君、有田焼のセラミックフィルターを送ってくれた京都在住の稲田さんと。キエフは11時、京都は17時。6時間の時差があるものの、パソコン画面を見ながら話していると、地球の表と裏にいる感覚さえ失われる。画像と音声のズレはほとんどなく、リアルタイムに3人でお喋りできる。ほんの数年前まではＳＦの世界だったのに、今では当たり前の現実に。

３人はタイムスリップして学生時代へ。昨日まで教室で机を並べていたかのような錯覚に陥る。

検疫措置緩和で弾ける

２０２０年６月１日

ウクライナ閣僚会議が5月20日に検疫措置の一部を緩和すると発表した途端、人びとの気が緩んだ。自由を好むウクライナ人は締め付けがなくなると、一気に解放された気分で街に出る。マスクを着ける人もまばら。もともとマスクを着ける習慣がないウクライナ人は、窮屈で仕方なかったのだろう。段階を踏みながら緩和していくのは、石橋を叩かず渡るウクライナ人にとっては珍しい。裏返せば、新型コロナウイルスの感染をそれほどまでに恐れているということだ。

5月22日からは、無観客に限り50人までのスポーツ・イベントの開催、宗教行事の開催、地下鉄を除く市内・市近郊・州内の交通、ホテル営業がＯＫ。

5月25日からは、地下鉄の再開、幼稚園・保育園の再開。

延長される検疫措置もある。ショッピングモール内のフードコート、娯楽ゾーンの営業、映画館・劇場の営業、自家用車・貨物を除く州間の交通、鉄道・航空定期便の運航、ジム・フィットネスセンターの営業、大学・学校の開校などだ。少なくとも6月22日まで続く。

マスク着用なしでの公共場所での滞在や３人以上でのまとまった移動も禁止されているが、馬耳東風。緩和という言葉を聞くや否や、人びとは弾けてしまった。

Ｚｏｏｍを使ったお喋りが楽しくなり、菅野君、稲田さんとまたまたパソコンの画面上で飲み会を行った。

菅野君は当初の目的を果たすため、プログラマーのスカウトを再開した。タラス社長がいい若者を紹介してくれるそうで、近いうちに面接する予定だという。稲田さんに日本の様子を聞くと、5月25日に非常事態宣言が全都道府県で解除されるや否や、回転寿司やラーメン屋に家族連れがどっと押し寄せ、まさに鮨詰め状態になっているという。ウクライナ人も顔負けだ。

代理母出産で生まれた赤ちゃん

２０２０年6月15日

新型コロナウイルス感染が拡大し、気軽に国境をまたぐことができなくなると、思わぬ事実が浮き彫りにされた。代理母出産の問題だ。ドイツのテレビ局が取材したことで白日の下に晒《さら》された。多くの国では禁止されているが、アメリカの一部の州、ギリシャ、ロシア、グルジア、そしてウクライナでは商業的代理母出産が認められている。イギリス、デンマーク、ベルギーは金銭の授受がないという条件付きで認められている。

紅茶を飲みながら何気なくニュース番組を見ていると、代理母出産がクローズアップされたので、驚き、テレビ画面に顔を近づけたところ、紅茶をこぼしそうになった。

ウクライナでは卵子提供、商業的代理出産、全て合法。性別の選択も認められているという。

代理母出産で生まれた赤ちゃんがベビーベッドに寝かされている映像が流れる。１００人以上の赤ちゃんがホテルの一室に寝かされている。実験室のモルモットを連想した。

1組のスペイン人夫婦がビデオ通話でインタビューに答える。「6万5千ユーロ支払ってようやく生まれた赤ちゃんなのに、引き取りに行けなくて悲しい」と訴える。

ニュースが終わるや否や、タラス社長に電話した。

「菅野君がお世話になっています」

「いい若者が見つかったよ」

タラス社長はその後に言葉を続けようとしたが、今日の本題は代理母出産なので、言葉を遮った。

「ウクライナでは代理母出産が合法的に認められているのですね。費用が6万5千ユーロというのは本当ですか」

ためらいながら、彼は答えた。

「確かにその通りです。あなたはニュースを見たのですね。もっと残念なのは、代理母出産を隠れ蓑にして自分の子どもを売る親もいるのです」

ラジオでも代理母出産の話題

2020年7月1日

代理母出産で生まれた赤ちゃんが生きたまま次々とドニエプル川に流される。泣き叫ぶ赤ちゃん。もがきながら沈んでいく。赤ちゃんを助けようとして川に飛び込む。赤ちゃんをこの手にした途端、得体の知れない何者かに足を掴まれ、川底へ引っ張られていく。

そこで目が覚めた。夢だったのか。夢でよかった。汗だくになっている。シャツを着替え、コップに水を注いで一気に飲み干す。

それにしてもリアルな夢だった。今でも赤ちゃんの泣き声が耳に木霊する。赤ちゃんを手にした柔らかい感触がしっかり残っている。

ソファーに腰掛け、窓の外に目をやる。もうすっかり明るい。

無意識にラジオのスイッチを入れる。スベトラーナの声がする。朝の番組も担当するようになったのか。音楽をかけながら社会問題を話す番組のようだ。

思わず息を飲んだ。代理母出産で生まれた赤ちゃんついて話しているではないか。シンクロに驚きつつ、耳を傾けた。

じっくり聞こうと思っていると、すぐさま次の話題に移った。もう少し早くラジオを付けていればと悔しい思いに駆られた。

番組が終わるや否や、スベトラーナに電話をする。2コールで彼女が出た。

「いい番組を始めたんだね。君にぴったりだよ」

「聞いてくれたの。嬉しいわ」

声が弾んでいる。

「ようやくカフェが開き始めたので、コーヒーでもどうかなと思って」

「ありがとう。3時だと行けるわ」

しばらく会っていないのに、まったく違和感がない。昨日も会っていたのではないかという感覚に襲われる。

カフェの名前を告げて電話を切った。

久しぶりにスベトラーナに会えると思うと、胸が高鳴る。あれも話したい、これも話したいと話題がどんどん思い浮かぶ。

暑すぎるキエフ

２０２０年７月15日

それにしても暑い。暑すぎる。カフェの柱に吊るされている温度計に目をやると、摂氏33度と表示されている。７月のキエフでこの数字は記憶にない。スマホで天気予報のサイトを見ると、南部都市ヘルソンでは摂氏42度のようだ。明らかに異常だ。

世界中で読まれているデイビッド・ウォレス・ウェルズの『地球に住めなくなる日』には、未発見のウイルスは１００万種を下らないという驚愕の記述がある。イタリア人作家パオロ・ジョルダーノが書いた『コロナの時代の僕ら』には、ウイルス感染拡大が今後もますます頻繁に発生するだろうと書かれている。

森林伐採で森深くに眠っていたウイルスが叩き起こされ、人間社会に招かれた。温暖化により北極や南極、シベリアの氷が溶け、その中に眠っていたウイルスが目覚め、人間社会へやってこざるを得ない状況になったのだ。

人間が初めて行った環境破壊は農業と言われる。人間だけが自分勝手に大地を掘り返し、種を植え、育て、刈り取り、食べる。他の動物でこんな蛮行を行っているものは誰もいない。しかし、そんな人間を生み出したのも地球だと考えれば、これも自然の摂理に即したものなのかもしれない。

そんなことを考えていると、スベトラーナが手を振って現れた。時計の針を見ると、4時を回っている。ウクライナ人女性が1時間遅れで待ち合わせ場所に来ることは珍しくないので、こちらも何とも思わない。時間の感覚が麻痺してしまったようだ。

久しぶりに見るスベトラーナは幾分ぽっちゃりしているように感じられた。私の頭の中を見透かしたように、スベトラーナははにかむ。

「私、ちょっと太ったでしょ。家でテレワークをしているうちに、コロナ太りしちゃったわ」

コロナでイライラする人びと

２０２０年８月１日

一見しただけでは分からないが、腰の辺りを見ると、スベトラーナは太ったようだ。不思議なことにウクライナ人女性は太っても顔には肉が付かず、下半身、特に腰からお尻に集中して付く。太ると顔に肉が付く日本人女性とは対照的だ。日本人女性は、太っても腰やお尻に肉が付きにくい。多少は付くものの、ウクライナ人女性とは比較にならない。

ほっそりした顔立ちに魅了され、いざ逢瀬へ。シャワーを浴びたウクライナ美女の裸体を見て驚き萎えてしまう日本人商社マンの話をしばしば聞く。その話を聞く度に残念に思う。腰からお尻に付いた肉こそが女性美の象徴なのに。腰がくびれているようでは、まだ少女の体型だ。大人の女性は腰のくびれがないほど肉で覆われなければならない。若い頃は理解できなかったが、今ではよく分かるようになった。

知らないうちにスベトラーナの腰をじっと見ていたのだろう。「いやね」とうっすら頬を染めて彼女は身体をくねらせた。

慌てて話題を仕事に移す。

「ラジオ局でもテレワークなのかい」

「そうなの。自宅で録音し、それをメールで局に送るの。もっとも、テレビと同じで再放送の番組が多いけれど」

「大変な状況だね」

「このところ、コロナ疲れなのか、気が緩んでいる人が多いわ。出張で仕方なくリヴィウまで電車に乗ったけれど、満席だったわ」

「防疫制限は建前でしかないんだね」

「それに、コロナで皆がイライラしているわ。ニュースで見たでしょ。ルーツク市でバスのハイジャックがあったり、地下鉄のシュリャフスカ駅やリソヴァ駅近くのカフェで爆発事件が発生したりと、落ち着かないわ」

「確かにそうだね。我々ウクライナに住む邦人に対して、日本大使館から注意喚起メールがしばしば入るよ」

受け継がれる緑ウクライナの精神

2020年8月15日

私の目を覗き込むようにしてスベトラーナは質問を投げかけてきた。

「コロナ禍で、バスのハイジャックや爆発事件が多発しているけれど、これはウクライナ人がしていると思うの」

会話文としては「?」の付いた疑問形だが、声色からいってこちらに答えを選べる雰囲気ではない。既に答えは決まっている。「いいえ」だ。その後に続く単語は「ロシア人」。つまり、犯人はロシア人だという。

混乱時を狙って国家転覆を企てるのはプーチンの常套手段だ。2014年にクリミア半島にロシア軍が乗り込んで居座ってしまったのは記憶に新しい。

コロナ禍で混乱している今、プーチンはウクライナをひっくり返そうと動いている。

「自分の足元が危ういというのに、プーチンは……」

スベトラーナがコーヒーカップに唇を付けながら首を横に振る。

「愚かだね」

途切れた文章を私が補うと、スベトラーナは小さく微笑む。

「ウクライナ人はこんな茶番劇に屈しないわ。独立心が強いもの。ところで、緑ウクライナって知っている」

「初めて聞いた」

「1920年にロシア極東にできたウクライナ人国家よ。ボリシェビキが極東共和国を作ったとき、極東に住むウクライナ人たちはそこから脱して自分たちで国家を建設したの」

私は言葉を失った。ウクライナ人はそこまでするのだ。それほどまでにボリシェビキ、つまりロシア人を嫌っていたとも言えるが……。

「今でもその国家はあるのかい」

私の質問にスベトラーナは悲しげに答えた。

「もうとっくの昔になくなったの。1922年にボリシェビキによって潰されたわ。2年半の命だったけれど、その精神は脈々と受け継がれているのよ」

ベラルーシ人立ち上がる

2020年9月1日

「ベラルーシ人がようやく立ち上がった。アネクドート（小話）で、釘の出た椅子に座らされても『仕方ない』と諦めて座り直すほど穏やかなベラルーシ人が怒りを露《あらわ》にしたのだから、まさに堪忍袋の緒が切れたんだね。どんな暴挙を働いても許されると思っていたルカシェンコは愚かだね」

私の言葉をスベトラーナは遮った。

「初めは良かったわ。ルカシェンコはそれなりのリーダーシップを示し、ロシアにも気に入られ順風満帆だった。けれど、長すぎたわね」

1994年、ルカシェンコはベラルーシ初代大統領に就任。26年間ずっとその椅子に座り続けている。

「ヨーロッパ最後の独裁者として国内外で揶揄《やゆ》されるようになって久しいわ」

「アイスホッケー観戦のため、連絡もなしに突然プライベートジェット機で日本へ来て、日本政府を困らせたのはまだ笑い話になるけれど、『コロナはただの風邪だから、ウオツカとサウナで治せる』という発言は戯言では済まされないね」

「8月9日の大統領選でルカシェンコは圧勝したと主張するけれど、選挙自体が怪しいの。中央選管はルカシェンコが約80％を得票して6選を決めたと発表したけれど、反体制派チハノフスカヤ候補の陣営は集計結果に大掛かりな改竄《かいざん》があったとして認めない。20万人以上が首都ミンスクの独立広場に集まり、抗議デモを始め、『ウハディ！』（辞任しろ！）と連呼しているわ。こうなると、プーチンも手が出せない状況よ」

「ウクライナのマイダン革命のときのように、ルカシェンコは助けを求めてロシアに逃げるのでは……」

「その可能性はあるわ。ロシアでヤヌコーヴィチが待っているかもしれない。元大統領同士、仲良くロシアのサナトリウムで老後を送るつもりなのかしら」

マリヤ・コレスニコワが拘束

２０２０年9月15日

スベトラーナのｉＰｈｏｎｅが鳴った。ショパンの「革命のエチュード」。この着信音はラジオ局からだ。人によって着信音を変えている。どの人がどの着信音なのかは知らないが、「革命のエチュード」だけは覚えている。幾度となくこの着信音を聞いているからだ。

ラジオ局からの電話を取ると、スベトラーナの柔和な表情が一気に険しいものになった。

「ルカシェンコがテロ化したわ」

電話を切るなり、彼女が漏らした。

「異変かい」

「反体制派の幹部3人が拘束されたわ」

大統領選に出馬した女性、スベトラーナ・チハノフスカヤがリトアニアへ脱出した後も、ノーベル文学賞作家アレクシエーヴィッチや、元銀行頭取で大統領選に出馬したため逮捕されたババリコの陣営幹部マリヤ・コレスニコワなどが「調整評議会」を継続させ、ルカシェンコ政権打倒活動を続けていた。そのマリヤが拘束され、ウクライナ国境まで連れて行かれたという。容疑は「対ウクライナ国境を不法に越えようとしたため」という。全くの茶番劇だ。

彼女と一緒に拘束された「調整評議会」幹部2人はウクライナへ放り出された。

しかし、マリヤは抵抗した。自らパスポートを破り捨てたのだ。

拘束者数は延べ1万人以上、拘束者の拷問や虐待450件以上というなか、抵抗する勇気をマリヤは持っていたのだ。

そこまで説明して、スベトラーナは手で顔を覆った。

「今は21世紀なのよ。時代劇を見ているようで、信じられないわ」

私は店員を呼び、コーヒーのお代わりを2杯頼んだ。

スベトラーナはコーヒーをすすると、言葉を続けた。

「同じ女性として、マリヤを尊敬するわ。私に今できることは何かしら」

「もちろん、ラジオで現状を伝えること。ペンは剣より強しだよ」

武力行使が必要

2020年10月1日

温厚なベラルーシ人が今回ばかりは本気で立ち上がった。デモが各地で起こっているにもかかわらず、ルカシェンコの6期目就任式が9月23日に強行された。人びとは激しく抵抗し、約170人が拘束。

「沈黙の抵抗」と呼ばれた2011年のデモとは全く違う。大広場に集まり拍手したり、集まってアイスクリームを黙々と食べたり、人気ロック歌手の歌を携帯電話から流したり、ユーモアたっぷりの抵抗運動をしていた。ウクライナ人もユーモアを好むが、ベラルーシ人も負けていない。

9年経った現在、これまでのやり方では甘いと分かったベラルーシ人は、ようやく立ち上がった。

「調整評議会」のメンバーでベラルーシに残っているのはアレクシエーヴィッチだけだ。彼女をスベトラーナは自分のラジオ番組に招いた。キエフのスタジオに来てもらうわけにはいかないので、生電話出演してもらうことに。アレクシエーヴィッチは、ルカシェンコの独裁がどれほど国民を苦しめているかを切々と語った。最後に、話し合いを重ねてルカシェンコを退陣させるべきだと結んだ。

ラジオ局近くのカフェでスベトラーナの番組を聞きながら待っていた。番組が終わるや否や、彼女がカフェに飛び込んできた。上気した顔のスベトラーナを見るのは久しぶりだ。

「聞いてくれていた？　アレクシエーヴィッチとベラルーシの行方について話したわ」

「一言も聞き漏らさず聞いたよ」

そう言ってハンディーラジオを見せた。

「私、ベラルーシのために役に立ったかしら」

「もちろん」

隣でレモンティーを飲んでいたメガネのインテリ学生がこちらに向かって会釈した。

「キエフ大学で国際政治を学ぶ学生です。ラジオを聞いていました。ベラルーシ人はやはり甘いです。話し合いでは解決できません。今こそ武力行使が必要です」

ベラルーシの民主化のために

２０２０年10月15日

「それはどういう意味ですか」

恐る恐る聞いてみた。歳を考えれば、断然こちらが上なので、そこまで丁重な態度を取る必要はないのだが、無闇矢鱈に偉そうぶるのは好きではない。

キエフ大学の学生は、銀縁メガネのツルを持ってズレを直す。

「キエフ大学３回生のアンドリーと申します。お２人の見方が甘いので、つい口を挟みたくなりました。申し訳ありません」

そう言ってアンドリー青年は深々と頭を下げた。

どうやら礼儀をわきまえない不埒な若者ではないようだ。スベトラーナに目配せした。彼女は小さく右目をウインクして応える。私と同じように青年の話を聞きたがっている。

「では、聞きますが、私たちが甘いというのは、どういうことですか」

追随してスベトラーナは「教えてほしいわ」と笑みを浮かべた。

威厳を作ろうとしてか、青年は咳払いをしてからこちらに体を向けた。

「実は、僕の家にベラルーシ人が転がり込んできているのです」

話を聞くと、アンドリー青年の父親を頼って、ベラルーシ人の学者が妻と子どもを連れてやって来たという。2人はキエフ大学で机を並べた同級生のようだ。子どもといってもアンドリー青年よりも4つほど年下で、ほぼ同年代。

この学者だけでなく、多くのベラルーシ人がルカシェンコに恐れ戦《おのの》いてウクライナやポーランド、ラトビアへ脱出しているという。このままでは、ルカシェンコの思う壺だ。後ろに構えるプーチンもほくそ笑んでいるに違いない。

とはいうものの、ベラルーシにはルカシェンコに立ち向かう勇敢な若者が残っている。ウクライナは彼らを後押しすべきだとアンドリー青年は力説する。

「今ルカシェンコを倒さなければ、ベラルーシに民主化はきません」

ベラルーシの反政権派にサハロフ賞

2020年11月1日

アンドリー青年の話し方は若者特有の青臭さと熱に満ちていた。その真っ直ぐな眼差しが私の心を捉えた。スベトラーナも同じだ。彼女の目を見ると、すぐに分かった。人は情熱によって動かされる。改めてそう思わされた。

大人になるに従い、どんなことでも当たり障りなく丸く納めようとする。それが大人としてすべき振る舞いかのように考えるが、時と場合によっては立ち上がって闘う必要がある。頭の奥の方では分かっていても、面倒臭さが手伝って、見て見ぬふりをしてしまう。それではいけないのだということを大学生に教えられるとは。

記憶を辿ると、学生時代に親や教師に対して「真実」を訴えていた自分の姿があった。ドストエフスキーやキルケゴールの書物を引いて熱弁を振るう青年。つい先ほどまでは恥ずかしい思い出として封印していたが、アンドリー青年を見ているうちに、誇るべき姿だと気付かされた。

過去の認識が180度変わった。『マチネの終わりで』という小説の中で、平野啓一郎は「過去は変えられる」と強く訴えた。一般的に、未来は変えられるが、過去は変えられないとされているが、解釈や認識によって過去は変えられるのだ。肌感覚で理解した。

「EUはベラルーシの反政権派を応援しています。人権や民主主義を守る活動を讃える今年のサハロフ賞を彼らに贈りました。個人ではなく、運動そのものに贈ったのは異例です」

アンドリー青年は顔を赤らめながら話す。

「ＥＵと力を合わせ、私たちウクライナ人も反政権派の皆さんに力を貸す時です」

青年の目を覗き込んで私は問うた。

「具体的に何をすればいいですか」

彼は言葉を詰まらせた。

「何をすべきでしょうか……」

バイデン勝利を喜ぶウクライナ人

2020年11月15日

私たち3人の間に沈黙の時が流れる。それを破ったのは隣にいた中年男性2人の歓喜の声だった。

「バイデンが勝った。アメリカ大統領に選ばれた」

それを聞いて、アンドリー青年は相好を崩した。

「君はバイデンを望んでいたのですか」という私の問いかけに対して、彼は「その通りです」と頷いてから、なぜなのかを説明した。

2014年にクリミア半島を力ずくで併合したロシア。ウクライナはオバマ米政権を後ろ盾にロシアと戦った。バイデンは副大統領として度々ウクライナを訪れ、力になってくれた。

今年8月にもウクライナを訪れ、「大統領になった暁には、軍事的にも経済的にもウクライナを支援する」と約束した。

それに対し、トランプといえばどうだろう。プーチンに肩入れするではないか。さらに悪いことに、トランプはゼレンスキー大統領に対してバイデンの不正調査を求め圧力をかけた。それが明るみに出て、目も当てられない状況に陥ったのは周知の事実だ。

どう考えても、ウクライナ人がトランプを望むわけがない。バイデンを望むのが当然だ。

この事件も手伝って、ゼレンスキー大統領の人気は急転落。就任時に80％もあった支持率が、今では44％と情けない数字に落ちている。

ここまで説明して、アンドリー青年は得意顔になった。先ほどまでの宙に浮いたような不安な表情は消えた。難しい数学の問題の答えが見つかったような明るい表情になり、弾んだ声で話す。

「バイデンはウクライナをロシアから救うだけではなく、ルカシェンコにお灸を据えてベラルーシの民主化を進めるはずです」

「そんなに上手く事が運ぶかしら」というスベトラーナの声は耳に入らないようで、アンドリー青年は滔々《とうとう》と自説を語る。

隣国モルドバも親欧米派に

２０２０年12月1日

若者と話すのは愉快だ。世代間ギャップによる違和感はあるが、かえってそれがマンネリ化した日常に新風を吹き込み、頭がリフレッシュされる。明らかに論点がずれていたり、理詰めが甘かったりすることもあるが、それはそれで若者特有の思い込みだと理解できる。指摘すれば、あっさり修正する。その素直さがいい。なまじ年を取ると、どんなに間違っていてもそれを通して悪びれない人が多い。

ごく稀に、80歳を過ぎても90歳を過ぎても誤りに気づくや否や潔く訂正する老人がいる。瑞々しい心を失っておらず、表情が柔らかく、若者の雰囲気を身に纏っており清々しい。

アンドリー青年との会話をスベトラーナも私も大いに気に入り、時間を見つけては3人でコーヒーを飲むようになった。寒くなるに従い新型コロナウイルスが蔓延し、カフェでゆっくりおしゃべりができなくなった。そうして、私の部屋で集まるようになった。

11月15日に投開票されたモルドバ大統領選決選投票で親欧米派のマイア・サンドゥ前首相が勝ったというニュースをテレビで見て、3人で会うことに。親ロシア派の現職イーゴリ・ドドンが負け、ウクライナの隣国モルドバでもロシアの力が弱まるのは確かだ。

得意顔でアンドリー青年は語る。

「プーチン帝国が音を立てて崩れています。ウクライナはようやくロシアから解放されます。今こそドンバスからロシア軍を追い出し、クリミア半島を奪還する時です」

スベトラーナが口を挟む。

「今は何もできないわ。新型コロナウイルスが落ち着いてからしか……」

ウクライナでは新たに1万5千人以上の感染、死者数が連日250人前後を推移している。ロシアとの戦いも続いているが、ウイルスとの闘いも放ってはおけない。

沿ドニエストルからロシア軍部隊撤収

2020年12月15日

「モルドバとウクライナの間に挟まれた沿ドニエストルは、これからどうなるのかしら」

スベトラーナがアンドリー青年に質問を投げかけた。彼はこの質問を待っていましたとばかりに得意顔となり答える。

「サンドゥが次期大統領に決まったので、放ってはおかないでしょう。まずは沿ドニエストルに駐留しているロシア軍部隊を撤収させるでしょう。実際、強気で『撤収すべき』と発言し、波紋が広がっています」

沿ドニエストルは世界から主権国家と認められていない。ロシアだけが認める未承認国家だ。グルジアのアブハジア自治共和国や南オセチア自治州、アゼルバイジャンのナゴルノカラバフ自治州など、旧ソ連圏には未承認国家が多い。東ウクライナでも2014年にドネツク州とルガノスク州の親ロ派武装勢力が人民共和国樹立を宣言した。今もロシア軍が後押しして実効支配を続けている。他人ごとではない。

アンドリー青年は咳払いをして続ける。

「モルドバは完全にロシアと手を切り、ヨーロッパと組みます」

ロシア軍部隊を撤収させた後、サンドゥ新大統領は平和維持活動を欧州安保協力機構（OSCE）中心にするつもりで動いている。さらにロシア主導のユーラシア経済連合からも手を引くだろう。

その上で、1990年にモルドバから分離独立宣言をした沿ドニエストルをモルドバに戻すつもりだ。国際的にはモルドバの一部とみなされているが、実際は深い溝がある。その溝を埋めてひとつの国にするため躍起になるだろう。

「ロシアは指をくわえて黙っているかな」

今度は私がアンドリー青年に質問をぶつけた。すると、彼は首を横に振った。

「プーチンは撤収に応じません。それどころか、沿ドニエストルへロシア軍部隊をさらに送り込み、実効支配力を強めようと躍起になるはずです」

収まらないコロナ感染

２０２１年１月１日

世界遺産の聖ソフィア大聖堂前の広場に巨大なクリスマスツリーが設置され光を放っているが、コロナの感染は一向に収まらない。新感染者数が毎日1万人以上という前代未聞の惨状が2ヵ月以上続いている。噂が噂を呼び、実際の感染者は5倍とも10倍とも言われているが、確かな数字は分からない。

スベトラーナが巨大なクリスマスツリーを取材すると言うので、広場で待ち合わせた。真っ白の帽子に真っ白のコート。彼女を見付けるのは簡単だった。近くに歩み寄りハグをする。いつもの香水とは違う。柔らかく甘い香りの微粒子が鼻腔を刺激する。1時間遅れで到着した彼女に今日こそ小言をぶつけようと思っていたが、そんな気持ちはどこかへ飛んでいった。

大きな瞳をさらに大きく見開き、「なんて素敵なのかしら」と頬を染める。マスクを着けていても分かるほど、色白で艶かしいその頬だ。

「今夜は取材だね」

そういう私の言葉に笑みで答える。

「もちろん取材です。でも、その後は個人的なデート……」

そのとき、彼女の名前を呼ぶ野太い声が聞こえ、振り返る。一気に彼女の顔が曇る。

野太い声の主が続ける。

「コロナで大変なときに、恋人と乳繰り合っているなんて」

声の主は雑誌記者のドミトリーだ。ネチネチした性格の初老記者は誰からも嫌われている。慈愛に満ちたスベトラーナでさえも苦手だ。

「取材の最中です。誤解しないでください。外国人の目から見たウクライナの現状を聞いているところです」

彼女のオーラはロマンチックなものから厳しいものに様変わりした。「こんちくしょう」と胸の内でつぶやいた。せっかくいい雰囲気だったのに。

スベトラーナは首を横に振り、苦し紛れに微笑んだ。

クリスマス・イブは一緒に

2021年1月15日

スベトラーナとのデートを楽しみにして聖ソフィア大聖堂前の巨大クリスマスツリーを見にいったのに、とんだお邪魔虫が入った。

帰り際、スベトラーナが耳元で「クリスマス・イブは一緒に」と囁いたことで、すっかり機嫌が直り年甲斐もなく戸惑ってしまった。

1月6日、待ちに待ったクリスマス・イブ。スベトラーナが手料理で用意してくれるというので、カルパチアワインの赤と白を1本ずつ買ってスベトラーナの部屋へ行く。

「午後6時頃来てね」というスベトラーナのメールを見ながら、考えてしまう。「頃」ということは5時50分だろうか、5時55分だろうか。いや、6時前に着くと、まだ化粧が終わっておらず困るのでは。そう考えると、6時5分だろうか、6時10分だろうか。少しでも遅れると、何かの用事の帰りに仕方なく寄ったと思われないだろうか。といって、6時ぴったりにドアホンを鳴らすのも変だ。

そんなことをあれやこれやと考えるうちに時間が迫ってきた。結局、スベトラーナのマンションの下に5時30分に着いた。足元が冷えて痛い。ワインを揺らさないように用心しながら、あちらこちらと歩く。5階にあるスベトラーナの部屋の窓からは暖かい光が漏れている。すぐにでもドアホンを鳴らしたいが、自分を抑える。

部屋に入りスベトラーナとハグし、手を洗い、テーブルにつき、乾杯。これから起こる楽しい夕食の進捗を思い浮かべていると、胸が熱くなってきた。外は摂氏1度というのに、首筋が暑くなり、マフラーを外す。

私だけでなく、人は実際の行為よりも、その行為に入る前に行う想像の方が楽しいのではないか。心理学的かつ哲学的考えに酔いしれる。

クリスマスイブの料理

２０２１年２月１日

懐中時計の針が6時1分を指した瞬間にドアホンを鳴らした。ドアの前でスベトラーナが待ち構えていたのだろうか、すぐさま開いた。白地に赤い花柄のソローチカを纏った彼女に見とれて、言葉が出ない。

「さあ、入って」という彼女の言葉に従い、足を踏み入れる。ハグをし、入り口のハンガーにコートを掛け、部屋に入る。もちろん、手を洗ってからだ。手洗い・うがいは以前から励行していたが、新型コロナウイルスが広がってからは念入りにしている。

テーブルいっぱいにご馳走が並べられている。

いい香りに反応してお腹が鳴った。スベトラーナはクスッと笑う。ごまかそうとして料理を褒める。

「それにしてもご馳走だね」

「クリスマスイブには12種類の料理が必要なのよ」

そう言ってスベトラーナは1つ1つ料理を説明する。クーチャ（お粥）、ヴーシカ入りクリスマスボルシチ、ニシンと玉ねぎのマリネ、きのこソース、蕎麦の実入りロールキャベツ、じゃがいも入りロールキャベツ、西洋わさび入りビーツサラダ、じゃがいも入りワレーニキ（水餃子）、キャベツ入りワレーニキ、大白豆入りキャベツサラダ、ウズワール（ドライフルーツの飲み物）、ドーナツ。

ボルシチに入っているヴーシカは日本語に訳すと「耳」。耳の形にした水餃子だ。ワレーニキはじゃがいも、キャベツ、きのこ、さくらんぼなどいろいろなものを入れるが、ヴーシカはきのこしか入れない。

得意顔で料理を説明するスベトラーナの表情はラジオ局にいるときとはまったく違って柔らかい。

「ドーナツはけしの実入りとジャム入りが人気なので、どちらも作ったわ」

この料理をすべて作るのにどれほど時間と手間がかかったのだろう。考えるだけで、胸がいっぱいになった。

3杯目は愛のために

2021年2月15日

2人で過ごす時間はこんなにも大切で、こんなにも心が穏やかになるものかと自分でも驚いている。おそらくスベトラーナも同じなのであろう。ラジオ局にいるときとは違い表情が柔らかい。これはどこかで見た風景だなと思いながら、もしやデジャブではないかと考えあぐねているうちに、ハッと気づいた。子どもの頃、クリスマスケーキを囲みながら微笑む母の顔だ。母は日本人でスベトラーナはウクライナ人なので、もちろん顔形や目の大きさなどまったく違う。それなのに、母の面影がスベトラーナに重なる。

すべての男性はマザコンだと言い切る作家がいたが、案外そうなのかもしれない。私も知らぬうちに母を求めているのだろう。そんなことを考えながらスベトラーナの顔をまじまじと見ると、やはり全く違う。

「どうしたの、私の顔に何か付いているのかしら」

そう言われて、現実に引き戻された。

「あまりに綺麗なので、見とれてしまっただけだよ」

取り繕って言ったものの、我ながらキザな発言だと赤面してしまう。

スベトラーナがはにかみながら小さなグラスに蜂蜜と唐辛子入りのウクライナウオツカを並々と注ぐ。

「メリークリスマス！」

2人同時に杯を掲げた。そして、ウオツカを一気に喉に流し込む。すぐさま水を飲み、ウオツカを胃袋まで届ける。

次々に料理をほおばる。どの料理も街中にあるレストランよりも数段美味しい。

2杯目の乾杯だ。スベトラーナに促されて乾杯の発声をすることに。

「ウクライナの平和のために」

さらに料理をほおばる。今夜だけでは食べきれない量だ。

「ウクライナでは、3杯目の乾杯は左手にグラスを持ってするのよ。次は私の番よね」

そう言うと、頬をほんのり染めながら「愛のために」と杯を挙げた。

2021年3月1日

ナワリヌイ氏は敵か味方か

人は思い描いた未来を手に入れることができる。しかし、思った通りにはならない。

大学時代にとった心理学講義のなかで、折に触れ教授がこのような矛盾めいたことを述べていた。おそらく教科書には載っていない雑談だろう。卒業して10年以上経つが、ふとこの言葉を思い出すことがある。

クリスマスイブの夜、毎日のように会おうと約束したものの、スベトラーナの仕事が忙しくなり、もう1ヵ月ほど会っていない。ラジオを通して、あるいは電話で彼女の声を毎日聞いているので、不思議にも昨日も今日も会っているような感覚だが。

そのかわり、キエフ大学のアンドリー青年とは毎日のように会い、議論をするようになった。思った通りにはならないものだ、と教授の顔を思い浮かべる。

ニュースではロシアの反体制派指導者アレクセイ・ナワリヌイ氏の話題で持ちきり。神経剤ノビチョク系毒物で暗殺されかかり、ドイツへ逃げ治療を受ける。回復したのでロシアへ帰国。分かってはいたものの、帰国するや否や空港で拘束された。禁固3年6ヵ月の実刑がモスクワの裁判所で決定。これを受けて、ナワリヌイ氏解放を要求しロシア各地でデモが広がっている。

今日も電話があり、アンドリー青年が私の部屋にやって来た。どうも様子が変だ。コーヒーを入れる間もなく、彼は早口で捲し立てた。

「ナワリヌイ氏はプーチンを倒そうとしている。我々ウクライナ人は応援すべきではないでしょうか」

私の意見を待たずに続ける。

「それなのに、クラスメートの女の子たちは、ナワリヌイ氏をプーチンと同じロシア帝国主義者と見なし、敵同士の共食いと言って笑っています。どう思いますか」

突然の質問に答えが見つからず腕組みして黙るしかない。

2021年3月15日

ウクライナ人にとって敵

ナワリヌイ氏の発言を思い出しながら返答を考える。クリミアについての発言をふと思い出す。

「そういえば、ナワリヌイ氏は『クリミアは絶対にウクライナへ返さない。返す理由がない』と繰り返しているね。クリミアについていえば、プーチンもナワリヌイ氏も意見が一致する。だから、女の子たちは2人を同じ帝国主義者とみなしているのかもしれないよ」

アンドリー青年は鼻を何度もつまみ直しながら眉間に皺を寄せる。考え事をするときにいつもする癖だ。

しばらくして目を開くと、右手の人差し指を突き出しながら、青年は声高に言う。

「話していて、気付きました。クリミアの件では確かにプーチンとナワリヌイ氏は同じ意見ですが、決定的に違うところがあります。ナワリヌイ氏は民主主義を求めているのです。決して帝国主義を求めているのではありません。ですから、女の子たちは間違っているのです」

若者の熱がこちらまで伝わってきた。そのとき、記憶の奥底に眠っていた単語が浮かぶ。排外主義的民主主義。ナワリヌイ氏はこれに他ならない。

彼は確かに民主主義を求めている。それは間違いない。だから、リベラルなロシア人にとっては彼の発言も行動も正しい。

しかしながら、その民主主義の中にウクライナ人は入っていないのだ。ウクライナ人を除いた世界での話だ。もしかすると、彼はウクライナ人だけでなく、ロシア人以外すべての民族を排した上での民主主義しか考えられないのかもしれない。

青年を前に思わず熱弁をふるってしまった。

アンドリー青年は何かに気づいたような表情になった。

「僕が間違っていました。悔しいけれど、正しいのは女の子たちの方です。ナワリヌイはウクライナ人にとって敵です」

クリミア奪還へ

２０２１年４月１日

急にしょげてしまった青年が可哀想に思い、自説をきつく押し付けたのではないかと反省の気持ちがふつふつと湧き起こる。自分が正しいと思っていたことが崩れてしまい、茫然自失。大学でも女子学生相手に自分の説が正しいことを証明しようと必死だったのではないか。情景が目に浮かぶ。年上の私に対してあれほどまでに熱弁を奮ったのだから。

アンドリー青年の気持ちを休めるため、別の話題を出した。

「ナワリヌイ氏の話題ばかりに目が行っているが、ウクライナとロシアの間は、ここにきてとても厳しい状況に陥ってしまっている」

「どういうことですか」

アンドリー青年は目をパチクリさせる。

3月18日、ロシアにクリミアが奪われて7年だ。その2日前、つまり3月16日にゼレンスキー大統領は「クリミア・プラットフォーム」への参加を各国へ呼びかけた。クリミアをロシアから取り戻すためだ。クリミア奪還に向け「脱占領・再統合に関する国家戦略」を初承認した。

支持率低迷に危機感を感じるゼレンスキー大統領の巻き返しを後押しするのはバイデン新アメリカ大統領だ。彼はロシアの主張を全く認めず、クリミアはウクライナのものだと主張する。言葉だけではなく、3月1日にはウクライナへ総額1億2500万米ドル（約135億円）の軍事支援を発表した。

そこまで話すと、青年は元気を取り戻し、目を輝かせた。

「もう、ナワリヌイ氏などどうでもいいです。バイデン米大統領がプーチンを倒してくれますね」

若者特有の先走りを制する。

「そんなに簡単にことは進まないと思う。1万3千人以上の犠牲者を出した東ウクライナに飛び火して、ロシアによる停戦違反や戦闘の回数が増えている」

2021年4月15日

マスクを着けている人は2割

ドアホンが鳴った。スベトラーナだ。

ドアを開けると、機嫌が斜めだ。ハグをして中に入る。アンドリー青年がいるので、やや表情が柔らかくなった。それでも、自分の言いたいことを抑え切れずに吐露する。

「ロシアは何を考えているのかしら。世界中に新型コロナウイルスが広がっているのに、まだ東ウクライナで戦争を続けているのよ。ウクライナもコロナだらけ、ロシアもコロナだらけなのに」

一通り話して落ち着いたようで、コーヒーに口を付ける。

アンドリー青年との先ほどまでの議題とはまったく違う方向に話は進み出した。アンドリー青年はため息をつく。

「ロシア人はもうそんなにコロナを恐れてはいません。それはウクライナ人も同じです。確かに神経質なほどにコロナを怖がっている人もいます。しかし、多くの人は気にしていません。街を歩く人を見れば、一目瞭然。マスクを着けずに歩く人が多いでしょう。これが証拠です」

スベトラーナは青年の話にじっと耳を傾ける。

ウクライナの感染拡大スピードはヨーロッパで1番。1日2万人以上の感染だ。首都キエフを含めウクライナの半分以上はレッドゾーン。つまり、ロックダウン中。にもかかわらず、キエフ中心部でマスクを着けて歩いている人は2割程度。郊外に行けば、マスクを着けている人を見ることはまずない。

スベトラーナが思い出したように口を開いた。

「先日、キエフのアーティストをオンライン取材したわ。彼が言うには、ウクライナは新型コロナウイルスに罹った人がほとんどで、多くの人は死なずに治っている。集団免疫を獲得しつつあるので未来は明るい、と半ば開き直っていたわ」

ウクライナ人はいつの時代もこうだ。自然の流れに身を任せて暮らす民族だ。

２０２１年５月１日

人口削減計画なのか

スベトラーナは続ける。

「実は、アーティストはワクチン反対派だったの。私、びっくりしたわ」

ワクチンこそが新型コロナウイルスから人類を救う救世主のようにマスコミは報道するが、それを疑問に思う人も増え始めている。これまでのワクチンとは違い、新型コロナウイルスに対するものは遺伝子組み換えワクチンなのだ。一部、これから赤ちゃんを産もうとしている人が怖がっていた。赤ちゃんに何かあれば大変だと。しかし、本当に恐れなければならないのは老人だと70歳を越えたアーティストは言う。遺伝子組み換えワクチンを打てば、身体の機能が根本から変化し、新型コロナウイルスには罹らないが、ちょとした風邪などで死に至る。

作りかけの作品があるので、アーティストはまだ死ねないと言う。

アンドリー青年は合点がいったように頷《うなず》いた。

「これで分かりました。世界中が結託して、人口を減らそうとしているのです。世界人口は約78億人ですが、地球の適正人口は約50億人といわれています。つまり、28億人多いわけです。アメリカはワクチン開発を２０１３年に始めたと聞きました。２０１３年から人口削減計画が始まっていたのです」

ＳＦ映画の見過ぎではないかと嗜《たしな》めると、スベトラーナもアンドリー青年の肩を持つ。話しているうちに、今起こっている現実もＳＦ映画のように思えてきた。世界人口削減計画もまんざらではない……。

新型コロナウイルス感染拡大の最中にもかかわらず、４月22日のレーニン誕生１５１年記念日に合わせて東ウクライナ、クリミア半島にロシア軍15万人が集結。翌日には一部撤退したものの、５月９日の戦勝記念日を前に多くは残って睨みをきかせている。

レンタル自転車が急増

２０２１年５月15日

スベトラーナは続ける。

５月１日から地下鉄を始め公共交通機関の利用が可能となり、レストランやカフェは客で溢れかえっている。人の流れも激しく、通りはごった返している。

そういう我々もオープンカフェでコーヒーを飲んでいるから人のことは言えない。スベトラーナもアンドリー青年も晴れやかな表情だ。

５月８日は第２次世界大戦の犠牲者を追悼する「追悼と和解の日」と定められている。一方、ロシアでは５月９日は戦勝記念日で盛大に祝われた。赤の広場でのパレードは将兵約１万２千人が参加。戦車や歩兵戦闘車など多数が行進したほか、最新鋭ステルス戦闘機スホイ57や戦闘ヘリなどの観覧飛行が華々しく行われた。

ウクライナもロシアもコロナが終息したかのように振る舞っているが、まだまだ終わりそうにない。それでもワクチン接種が進まないなか、レッドゾーンだったキエフやオデッサはイエローゾーンに変わっている。集団免疫ができつつあるのだろうか。

アンドリー青年は自転車でカフェにやってきた。

「キエフ大学前にレンタル自転車の駐輪場ができたので、乗ってきました。とても快適です」

誇らしげに新しい自転車を見せた。

公共交通機関が使えないロックダウン中に、キエフではレンタル自転車やレンタル電動キックボードが急増。

スマートフォンを使いQRコードから登録し、カード払いで乗ることができる。自転車は各地域にある指定された駐輪場に停めなければならないが、キックボードはどこにでも乗り捨て可能だ。

「QRコードで簡単に借りることができます。QRコードは便利なものです」

アンドリー青年の説明を聞き終わると、スベトラーナは私にウインクした。

「QRコードは日本人が発明したものなのよね」

今度は私が誇らしい気持ちになって頷いた。

安全なワクチンは中国製

２０２１年６月１日

まばゆいばかりの陽光にあちらこちらから聞こえるポップな音楽。誰もマスクをしていない。地図上でもレッドゾーンがなくなり、日常生活が戻った。

５月20日でゼレンスキーが大統領に就任して２年になるが、ロシアとの問題は何一つ解決していない。ウクライナ国境付近に集まったロシア軍は撤退したというが、ごく一部にすぎない。今なお８万人以上が居残っている。

「ウクライナはヨーロッパであり、私たちはヨーロッパ人だ。ウクライナは必ずＥＵ入りする」と大統領はツイッターに投稿するが、狼少年のように誰もが本気にしていない。信じることができなくなってしまったというのが正しい表現だ。夫婦別れする寸前の男女のようで、白けている。

話題がワクチンに移った。アメリカ製、ヨーロッパ製、ロシア製、中国製……多くの国が製造しているけれど、一体どの国のものが安心できるのか、安全なのか。

「アメリカのファイザー製が安心できるのでは」という私の問いかけに対し、スベトラーナから意外な答えが返ってきた。

「自ら中国製を打つ医者が多いわ」

ウクライナの医者たちはヨーロッパやアメリカの医者と連絡を取り合うなかで、中国製が最も安全だという結論に至った。

「僕はアメリカ製がいいな」

アンドリー青年の発言に対して、スベトラーナはニューヨークの事例を挙げながら説明した。ニューヨークでは、ワクチン接種した人に対して高額な宝くじを付けている。また、ワクチンツアーが企画され、現地でワクチンを打つことができるという。ここまでくると怪しい。本当にワクチンは人体に対して大丈夫なのかと疑いたくなる。

アンドリー青年は「僕も中国製にしようかな」と呟いた。

コロナ騒動は茶番劇か

2021年6月15日

「すでに中国製ワクチン集団接種が始まり、人気で行列ができているわ」

スベトラーナはスマホを取り出して、ニュース動画をアンドリー青年に見せた。のんびり屋のウクライナ人だが、新しいものを得るには長蛇の列を作ってしまう。これは長年の癖なのかもしれない。ソ連時代は物不足で並んで手にするのが当たり前だった。負の遺産だ。

ワクチンを打ってもらえると知ると、一斉に会場へ向かう。悲しいまでに我先にと並ぶ。

一息置いて、アンドリー青年は醒めたような笑みを浮かべた。

「何だか、コロナ騒ぎ自体が大きな茶番劇のように思えて仕方ないのです」

5月23日に起こったベラルーシによる旅客機強制着陸・反体制派拘束問題を調べるうちに、アンドリー青年は意外とも当然とも言える真実が見えてきた。ベラルーシのルカシェンコ大統領による仕業ということで世界中は彼を批判しているが、プーチンがベラルーシで実験したまで。同じことをロシアですれば、世界はどう動くかを見極めようとしただけだ。

同じことがミャンマーで繰り広げられている。軍隊を焚きつけたのは、トランプ前米大統領だ。今でも軍隊を陰で掌握しているトランプは軍事政権樹立を目論んでいるが、その実験をミャンマーでさせた。ベラルーシやミャンマーを調べるうちに為政者の非人道的行為を目の当たりにしてしまったので、コロナも誰かが仕掛けた茶番劇ではないかと考えるようになった。

「聞いているうちに、私もコロナが茶番劇に思えてきたわ」

そう言ってスベトラーナは髪の毛をかき上げた。

「コロナ騒動も、誰かが裏で糸を引いているに違いありません」

アンドリー青年は誰憚るともなくきっぱりと言い切った。

街でマスクをする人はいない

２０２１年７月１日

いつもならばここで話に入るところだが、青年の勢いが止まらない。

「こんなにも情報は洪水のようにあふれている。しかし、多くの人は情報を得ようとしないのです」

インターネットの時代になって、確かに情報は洪水のようにあふれている。しかし、どの情報が自分にとって必要かそうでないかさえ分からなくなっている。さらに言えば、どの情報が正しくてどの情報が間違っているのかを判断できるのはごく限られた人だけだ。専門家や大学教授の発言の中にも間違いはあり、反対に前科持ちの詐欺師の発言の中にも正しいものがある。何が何だか分からない状態。コロナ騒ぎで拍車がかかった。

世界中で、表が裏に、裏が表にひっくり返った。

「後ろの正面だあれ」という子どもの遊び歌に隠された秘密を解き明かして喜んでいた人がいたが、もはやその域を超えている。

「コロナ騒ぎが茶番劇だと気付いた人たちはマスクを外し、コロナ騒ぎに乗じた悪事の尻尾を掴んだ人たちはワクチン接種を拒否し始めています」

アンドリー青年は、口早にしかも力を込めて言う。

「確かに、街でマスクをする人はいなくなったわ」

スベトラーナは呟く。

そういえば、つい先ほど私もマスクをしながら歩いていると、奇人変人のような眼差しを向けられ、いたたまれなくなり外した。8月末まではマスク着用が義務付けられているが、もはや誰も聞かない。ウクライナ人らしいといえば、ウクライナ人らしい。

「アンドリー君はワクチンを打たないのかい」

私の問いに間髪入れずに答えた。

「もちろん打ちません。コロナワクチンが人間を根本的に悪くするものだと、我々若者はインターネットの情報から知っています。知らないのは、インターネットから情報を得ることができないお年寄りだけです」

ワクチン接種率2％

２０２１年７月15日

アンドリー青年は言葉を詰まらせた。

「スマホを誰もが持つ時代になったのだから、お年寄りも若い人と同じようにスマホから情報を取るのではないか」

私の言葉を遮り、青年は続けた。

「お年寄りは頭が固いのです。たとえ、スマホで情報を見ても信用せず、これまで慣れ親しんできた新聞やラジオ、テレビが流す情報しか取り入れないのです。実は、母もそうなのです……」

スベトラーナが質問を投げかけた。

「では、お母さんはワクチンを打ったの」

青年はコクリと頷くと、肩を落とした。

「いくら僕が説明しても納得してくれないのです。『ワクチン反対』と訴える世界各国の医者の動画を見せても、作り話だと言い張って言うことを聞いてくれないのです。母のことを思って言っているのに聞いてもらえず、こちらも喧嘩腰になってしまいました。それからまともに口をきいていません」

洋の東西を問わず、若者と高齢者との間では情報格差が生まれ、対立の構造ができてしまっている。インターネットで情報を得ている若者はワクチンを打たない。一方、インターネットで情報を得ていない高齢者は打つ。まだ頭が凝り固まっていない少数派の高齢者は、若者の言葉やインターネットの情報を掴み、打たない選択をしている。

ワクチン接種を完了した人が2%というのだから、ウクライナ人は自分の頭で考える力を持っている。それは、ロシアはじめ隣国からいじめ抜かれてきた歴史背景によるものだろう。

「それで、お母さんは大丈夫なの」

「1週間前に打ちました。その日は、体調の変化は全くありませんでした。しかし、翌日になると高熱が出ました。薬で熱は抑えましたが、それから寝たり起きたりの生活をしています」

ダリア・ビロディドが銅メダルに

２０２１年8月1日

ラジオ局からの電話にスベトラーナが出ると、ダリア・ビロディドが東京五輪で銅メダルに輝いたという速報だった。女子柔道48キロ級。世界チャンピオンである彼女は金メダルしか頭になかったのだろう。悔し涙で会見しているという。

横で聞いていたアンドリー青年が顔を赤らめながらその話を聞いている。様子がおかしいので、声をかけた。

「アンドリー君、大丈夫か」

メガネを取って、目を擦る。

「はい、何でもありません」と言うが、感極まって言葉が続かない。

スベトラーナが驚いた表情を見せる。

「アナコンダと呼ばれる彼女が負けるなんて……。日本の渡名喜風南選手に延長7分手前で抑え込まれてしまったわ。銅メダルだから賞金は5万5千米ドルということになる」

急に賞金の話になったので、驚いて聞き直した。

「それはどこから出る賞金なんだい」

スベトラーナは当然のように答える。

「もちろん国からよ」

金メダルは12万5千米ドル、銀メダルは8万米ドル、銅メダルは5万5千米ドルが出るという。「日本は？」と聞かれて、答えられない。メダルに対して賞金が出るとは考えもしなかった。

スベトラーナがあまりにも残念がるので、ボールペンを取り出してメモ用紙に「銀」と「銅」を漢字で書き説明した。銀は金より良い、銅は金と同じだと日本では考えられている、と。私の説明が下手なのか、彼女は釈然としないようだ。

アンドリー青年がようやく口を開いた。

「僕も残念でなりません」

ダリア・ビロディドはキエフ大学でジャーナリズムを学び、今年6月に学士号を取ったばかり。日本大好きな女の子。アンドリー青年はキャンパスで彼女のことを見るうちに憧れ、ほのかな恋心を抱くようになったようだ。

ルカシェンコ大統領の強権姿勢

2021年8月15日

「残念なことがまだあるのです」

青年は肩を落としながら、ぼそぼそと言う。

心配になって、話を聞く。

「実は、ダリア・ビロディドのことを知る人はそんなにいないのです」

ウクライナではオリンピック自体に関心を持っている人が少ない。東京五輪にウクライナから157人もの選手が29のスポーツに参加したのにもかかわらず、ほとんど話題に上らない。首都のキエフでも一部の人が盛り上がっているだけだ。ロシアとの戦争中なのに平和の祭典なんておかし過ぎるという意見を聞くこともあるが、それすら稀だ。コロナ禍なのにと言う人はほぼゼロだ。ウクライナでは、コロナはもう昔のことになっている。街を歩く人は誰もマスクを着けていない。レストランでもマスクを着ける人はおらず、店員さえもマスクを着けずペチャクチャ喋りながら料理を運ぶ。

スベトラーナはアンドリー青年の説明に頷く。

「確かに私たちマスコミの人間は東京五輪でのウクライナ選手の活躍を報道しているから興味を持っているけれど、普通の人はほとんど関心がないわね。それよりもベラルーシのルカシェンコ大統領の強権姿勢が話題になっているわ」

東京五輪の陸上女子ベラルーシ代表のクリスツィナ・ツィマノウスカヤ選手が帰国後の処罰を恐れ、8月4日に成田空港を発ちオーストリア経由で亡命先のポーランドへ向かった。経験のない陸上16

00メートルリレーへの出場をコーチらに強要されたことをSNSに書いたところ、強制帰国を求められたという。危険を感じたので、亡命を決めた。夫もベラルーシを出てウクライナ経由でポーランドへ向かっている。

8月3日には、キエフにあるベラルーシ人亡命支援団体「ウクライナのベラルーシの家」代表であるビタリー・シショフさんが、自宅近くの公園で遺体となって見付かった。まだ26歳の青年だ。

アフガニスタンのウクライナ人救出

2021年9月1日

日本の友人から連日のように「ワクチンは打ちましたか?」というメールが入ってくるので、面倒になり放っている。1人ではなく複数だ。日本人は皆ワクチン信奉者になっているのだろうか。

そんな話をアンドリー青年にしたら、笑われた。ウクライナでは、「ワクチンを打ちましたか」という問いに対する答えは、「私は馬鹿ではありません」だ。つまり、ハナからワクチンを信じておらず、ほとんどの人が打たない。それはソ連時代に徹底的に共産党から虐《いじ》められたトラウマによるものだ。ソ連では建前上、すべてが無料だった。しかし、たとえば無料で手術を受けようものなら、命の保証すらなかった。だから、無料のワクチンを信用できない。当然といえば、当然だ。

ワクチンに考えを巡らせながら公園を散歩する。ウクライナの公園は日本と違って大きく、森のようだ。遊具などはなく、所々にベンチがあるだけ。日本では公園といえば、砂場や滑り台があって幼児や小学生が遊ぶところが一般的だが、ウクライナはまったく違う。大人から子どもまでゆっくり散歩するところ。時には昼寝したり、時にはサンドイッチをほおばったり、と憩いの場だ。

ベンチに座り、読みかけのゴーゴリを開ける。いつ読んでも面白い。どこから読んでも面白い。チェーホフが書いた『天才』の主人公は、ゴーゴリを開くと1、2頁で眠たくなるというが、信じられない。眠たくなるどころか、目が冴えてくる。

木々の香りに浸りながらページをめくっていると、スマートフォンが鳴った。スベトラーナからの電話だ。

「大変よ。アフガニスタンがタリバンの手中に落ちたわ。アフガニスタンには60人ほどウクライナ人がいるの。ウクライナ政府は飛行機を出して彼らを救出しなければならないわ」

英国、ソ連、米国がアフガニスタンをダメに

２０２１年10月１日

しばらくしてスベトラーナが公園にやってきた。魔法瓶からコーヒーをカップに注ぎ、渡す。

「ミルクと砂糖をたっぷり入れておいたわ。好きでしょ」

笑顔でありがとうと言う。彼女は勘違いしている。私はミルクと砂糖は少しでいい。恐らく、以前付き合っていたブラジル人の彼氏からの刷り込みが根深いところまで浸透し、忘れられないのだろう。

ブラジル人はコーヒーにミルクと砂糖をたっぷり入れて飲む習慣がある。我々からすると、子どもの頃によく飲んだコーヒー牛乳のような甘ったるいもので、大人は好まない。しかし、ブラジル人は大人も子どももこれを好んで飲む。毎日のようにブラジル人の彼氏に甘ったるいコーヒーを作っていた

スベトラーナにとって、コーヒーの味はこれがスタンダードになったのであろう。

そんなことを穿《ほじく》り返すのも大人気ないので、いつも笑顔でありがとうと答えている。曖昧な表現が得意な日本人特有の振る舞いがそうさせるのだが、それはそれで人間関係がギクシャクしなくてスムーズに事が進む。

「アフガニスタンが大変なことになっているのよ。もう滅茶苦茶よ。タリバンが政権を奪還したので、女性にとっては最悪な状況よ」

コーヒーをすすりながら、スベトラーナは憤慨する。

「英国やソ連、米国がアフガニスタンをダメにしたと思うんだ。周りの国の思惑でアフガニスタンを国家にしたけれど、中身は部族の寄せ集めで国家の体を成していない。分割統治したのがまずかった。国内は混乱し、最悪の状態に。イスラームを重んじるタリバンが強権的に国を治めようとしたのも当然と言えば当然。英国、ソ連、米国が撒いた悪い種が、悪の木になり、悪の実をつけたんだ」

スベトラーナは沈んだ瞳でコーヒーを覗き込んだ。

米国製コロナ治療薬は人体実験

２０２１年10月15日

あまりに寂しそうな顔をするので、思わずスベトラーナを抱きしめて慰める。甘い時間が流れる。

そんな雰囲気を快活な青年の声が壊した。

「ここでお2人に会えるなんて、嬉しいです」

振り向くと、アンドリー青年だ。上気したかのような顔で我々を覗き込む。気を遣って通り過ぎるべきだと説教しようと思ったが、思い止まり驚いて見せた。

気分を害したのではないかとスベトラーナの顔を見るが、どうも嬉しそうだ。彼女はオープンハートでいつでも誰でも受け入れる。そこがいいところだが、今日は2人でのんびりしたいと思っていたこちらの方がモヤモヤした気持ちを拭えない。

「さあ、一緒に座りましょう」

そう言って、彼女は私を軽く押してスペースを作る。アンドリー青年と私に挟まれて、嬉しそうだ。先ほど見せていた寂しげな表情は何だったのだろうか。女の表情は波のように移り変わる。

「このニュースをどう思いますか。それを聞きたくて、お2人に会いたかったのです。連絡しようと思っていたらばったり会えたので、嬉しくて声をかけてしまいました」

どんなニュースなのかを聞くと、彼はスマートフォンを取り出して読み上げた。

「保健省の公式発表によると、米国製コロナ治療薬ＢａｍｌａｎｉｖｉｍａｂとＥｔｅｓｅｖｉｍａｂが人道援助で米国から提供され、ウクライナ全地域に配給されることになりました」

「ウクライナではもう終息したかと思っていた新型コロナウイルス感染がまた物凄い勢いで広がっているので、まさに救世主だね。その2つの薬はよく効くのかい」

私の反応があまりに短絡的すぎたようで、青年は頭を大きく振った。

スベトラーナが何かに気付いたようだ。

「それは、人体実験だわ」

アンドリー青年は納得した表情で「やはりそうですか」とつぶやいた。

パスポートコントロールで接種確認

２０２１年11月１日

ここに来て驚くべきスピードで感染者が増えている。新規感染者は１日あたり２万人を超え、死者も４００人を超えた。10月15日からヘルソンがレッドゾーンに、18日からはザポリージャ、オデッサ、ドネツク、ドニエプルがレッドゾーンに染まった。

人体実験だと分かっていても、ウクライナ政府は米国からコロナ治療薬をもらうしかないのか。アンドリー青年の心の声が聞こえてきそうだ。

スベトラーナが話題を変えようと、友人の話をする。パリに住む雑誌記者がウクライナへ帰国するときに難儀した話題を出した。キエフのボリスポリ空港に到着したところ、パスポートコントロールでコロナワクチン接種の有無を問われたという。彼女はコロナワクチンに反対する立場を取り、目下コロナワクチン接種を禁止すべきだという記事を書いている。もちろん自分自身接種していない。

パスポートを出すと、Ｖｄｏｍａというアプリをスマートフォンにインストールしなさいと命令された。彼女は仕方なく従い、携帯電話番号、パスポートに記載されている氏名・パスポート番号を入力し、パスポートコントロールに渡す。すぐさま確認ボタンが押され、アクティベートされた。するとデジタルタイマーが動き出す。72時間以内に空港内またはキエフ市内の指定クリニックで抗体検査をしなければならない。

彼女は急いでいたので、空港内のクリニックで検査したという。カフェでコーヒーを飲みながら待っていると、2時間後にVdomaへ陰性の結果が届き、自己隔離期間終了・免除のサインが出た。もし陽性結果だったら、10日間の自己隔離が確定し、毎日3回～5回Vdomaを通して連絡が入り、GPSを有効にして隔離場所の風景とともに自分を撮影しなければならないという。感染拡大でウクライナ政府は神経を尖らせている。

アンチ・コロナワクチンデモ集会各地で

２０２１年11月15日

「政府のやり方に我慢できません。昨日、デモに参加してきました」

メガネの奥で憤りの炎を燃やすアンドリー青年は、感情を露《あらわ》にした。

最高議会前でアンチ・コロナワクチンのデモ集会が続いている。デルタ株の変異型が猛威を奮っており、感染者は増え死者数は鰻上り。キエフを始め全土で医療体制の逼迫度は極限に達し、酸素ボンベは到底足らない。感染しても病院搬送は望めず、薬も何もなく自宅療養しかない。若い人は凌げるが、高齢者は死刑宣告に近い。政府はヒステリー状態に陥り、ワクチンだけが頼みの綱だ。

「それでも」とアンドリー青年は続ける。

「ヨーロッパの権威ある感染症学ジャーナルが、ワクチン接種では感染拡大は抑えられないという最新情報を出しています。臨床試験も終えていないワクチンを強制するのはおかしいです」

デモ集会は各地に広がり、警察もお手上げ状態だ。舵取りを間違えれば、政府転覆の恐れもある。第2のマイダン革命に繋がらない保証はない。

一方で政府の締め付けに怯え、ワクチンを打つ人もいる。接種会場は大行列ができ、クラスターが発生しそうなほどだ。

ワクチン接種証明書かＰＣＲ検査（または迅速抗原検査）の陰性証明書、回復証明書のいずれかを提示しないと、レストランやホテル、スポーツジムに入れない。地下鉄やバスに乗るにも必要だし、ショッピングモールやイベント会場に入る際にも提示しなければならない。違反すると、最大1万7千グリブナ（約7万3520円）の罰則金が課せられる。年金の2〜3ヵ月分なので、結構な額だ。

「ラジオ番組にも政府に対する苦情のメールが毎日来るわ。1人では読み切れないので、スタッフ全員で手分けして捌いているの」

スベトラーナはため息をつく。

2021年12月1日

トルストイ自伝三部作読破の刑

「コロナ禍に心温まるニュースが入ったので、ラジオで紹介すると結構な反響があったわ」

3人の緊張した会話を和らげようと、スベトラーナは珍事件を話し始めた。

「オデッサの地方裁判所で珍しい判決が下りたの」

じらすように、わざとゆっくり話すスベトラーナ。紙芝居士が使う手法に、アンドリー青年も私も思わず身を乗り出した。

知人宅に侵入し携帯電話を盗んだ26歳の青年。無学で世間のことが何も分からず、人に利用され、肉体労働でその日暮らしをしていた。コロナ禍で職がなくなり、住むところにも食べるものにも事欠く状態に陥った。誰も助けてくれず孤独に陥り、どうしようもなくなった。頼れるのは、田舎に嫁いだ姉だけだった。携帯電話で姉に電話しようと思っても、チャージしていたグリブナがなくなりできない。そこで、いつも仕事をくれるオヤジのところへ頼みに行った。何度ベルを鳴らしても出てこない。しばらく待ったが、一向に帰ってくる様子が見られないので我慢ができなくなり、家の裏へ回り窓ガラスを割って中へ。時々オヤジのところへ来ていたので、間取りは分かっている。オヤジは食卓に携帯電話を置いて飲みに行くことが多かった。飲んでいるときに仕事の電話がかかってくるのを嫌った。案の定、食卓に携帯電話があった。それを取って一目散にその家から離れた。

姉の携帯電話番号が分からず、街角で途方に暮れていたところ、逮捕された。

地方裁判所は更生保護の観点からトルストイ自伝三部作『幼年時代』『少年時代』『青年時代』読破の刑を与えた。

この話をラジオで聞いたリスナーから次々に感激のメールが届いたという。横を見ると、アンドリー青年はメガネを外して涙を拭っていた。

ロシア軍17万5千人に

２０２１年12月15日

アンドリー君の純情をからかう気はないが、思わずまじまじとその涙顔を覗き込んでいると、恥ずかしそうに咳払いをして誤魔化した。

「いい話ですね」と簡単な感想をスベトラーナに述べた後、彼は別の話題に矛先を向ける。

「我々はコロナで死ぬか、ロシアの銃弾で死ぬか、瀬戸際のところまで来ています」

スベトラーナはにわかに表情を曇らせた。

「早ければ1月、遅ければ2月にロシアはウクライナへ侵攻するわ」

現在、ウクライナ国境付近に9万人を超えるロシア軍が陣取っている。1月に入るとすぐ17万5千人に増強するという。

北はベラルーシに駆けつけたロシア軍が、東はドンバスに居座るロシア軍が、南はクリミア半島で構えるロシア軍が一斉攻撃する。ベラルーシは完全にロシアの手下になった。クリミア半島には核爆弾も据えられている。完全に包囲されてしまった。

バイデンとプーチンがオンラインで2時間にわたり協議したけれど、平行線で終わった。あくまでも経済制裁でロシアを抑え込もうとしているが、弱すぎる。

「レーガンのような、チャーチルのような大きな人物が現れないと、もはや問題解決できません」

アンドリー青年はきっぱりと言い放った。政治的に解決できないところまで来てしまったという。

「すでに多くのナショナリストがロシアへ潜り込んでいます。チェチェン人とは違いウクライナ人はロシア人と顔立ちがほぼ一緒なので、見分けがつきません。OやAを強く発音すれば、ロシア人の話すロシア語となり、会話をしていても分かりません」

スベトラーナが首をかしげた。

「彼らは何をするの」

得意げな表情を見せ、アンドリー青年は答えた。

「テロですよ、テロ。ロシアがウクライナへ侵攻した途端、テロを行いロシア人の命をたくさん奪うのです」

ロシアを内側から撃破

2022年1月1日

スベトラーナの顔はサッと青ざめた。横で見ていても、その変化は手に取るように分かった。ロシアから攻められようとしていることは状況から分かっていた彼女も、まさか自国のナショナリストがロシアの都市部に潜り込んでテロの準備をしているとは、想像すらしなかった。

歴史を紐解くと、ウクライナはモンゴル、ロシア、ポーランドなど他国から攻め続けられてきた。一方、自らはどの国へも攻め入ったことが一度もない。そのウクライナがロシアを内側から攻撃しようとしている。ロシアの暴挙に堪忍袋の緒が切れたのだ。彼らの合言葉は「ロシア人のアパートに戦争を持っていく」だ。ロシア軍の進撃を食い止めるだけでなく、その後ろに回ってロシアの都市を潰すことが狙いだ。

ここまで話して、アンドリー君は大きく息を吸い込んだ。

「僕はまだ学生ですが、毎日走ったりスクワットしたりして体力を付けています。戦場へ向かう準備です」

有事になればどこに配属されるかがすでに決まっているようだ。これはアンドリー青年に限らず、成人は皆そうなっている。まさに一触即発ギリギリのところだ。

「今、台湾も中国に攻め込まれようとしている」

私が一言発すると、アンドリー青年は待っていましたとばかりに話を続けた。習近平は台湾を併合すると断言しているが、これは本気だ。習近平はプーチンと手を組んでおり、ロシアがウクライナへ侵攻するとき、同時に中国は台湾を奪い取る腹だ。この可能性は高く、実際にそうなってしまえば、米国は金縛り状態になり、手も足も出ない。第3次世界大戦の始まりとなる。

スベトラーナは目頭をきつく押さえ首を横に振る。これ以上もう考えたくないようだ。

プーチンにノーと言おう

２０２２年１月15日

抗議集会「プーチンにノーと言おう」がミハイル広場で開かれ、数百人が集まっている。スベトラーナが取材に行くというので、同行する。クリミア・タタール民族代議機関「メジュリス」のレファト・チュバロフ代表、シンクタンク「クリミア・タタール・リソース・センター」のイスカンデル・バリイェフ代表の顔が見える。

「市民活動家や反テロ作戦退役兵、それにカザフスタンやアゼルバイジャンの活動家がたくさんいるわ」

スベトラーナが目配せをしながら教えてくれる。

この集会はウクライナやカザフスタンに対するロシアの圧力に抗議するものだ。ウクライナの国境には依然として10万人に上るロシア軍部隊が待機している。倍の数を動員する計画もあるという。ウクライナのＮＡＴＯ加盟阻止、クリミアの不可侵、ウクライナへの兵器配備否定をプーチン露大統領は米国とＮＡＴＯに対して求めている。

この要求を呑まなければ、痛い目に遭うぞと見せ付けるために、プーチンはカザフスタンへロシア軍を送り込んだ。表向きは燃料費値上がりへの抗議デモを鎮圧するためというが、これはプーチンの書いたシナリオであり、マッチポンプだ。

プーチンはロシア軍が主体であるＣＳＴＯ（ロシア、カザフスタン、ベラルーシ、タジキスタン、キルギス、アルメニアの６ヵ国からなる軍事同盟）を２５０人カザフスタンへ送り込んだ。ロシアの発表ではデモ隊26人死亡というが、実際は１６４人だった。拘束者は５８００人に上る。

フランス、ベルギー、オーストリア、チェコではコロナワクチン義務化反対のデモ集会が始まっている。フランスでは10万5千人が参加。

ウクライナはコロナワクチン反対の前にロシアを片付けなければならない。

自衛団が立ち上がる

2022年2月1日

ロシアは本気でウクライナへ攻め入ろうとしている。各国の大使館員が帰国し始めている。ロシアが攻め入ったら黙ってはいないとバイデン米大統領が牽制しようが、プーチンはお構いなし。ロシアはすでに少数の特殊部隊をウクライナへ送り込み、情報工作を強化している。ウクライナがロシアに新たな戦いを仕掛けたという「事実」をでっち上げようとしている。考えてみれば、戦争の始まりはいつの時代も変わらない。盧溝橋事件しかり、真珠湾攻撃しかり。戦争には大義名分が必要だ。

抗議集会を取材してから、スベトラーナはずっとイライラしている。理由を聞くと、プーチンの暴君ぶりに我慢ならないという。何もできない自分が腹立たしいとも。電話では埒が明かないので、スベトラーナの部屋まで行く。

何度かベルを鳴らして、ようやくドアが開いた。珍しく酔っている。ハグをすると、安心したのか私に全体重をかけて寄りかかる。

「男だったら、武器を持ってロシア兵に立ち向かえるのに」

何度も繰り返す彼女をソファーに座らせて話を聞いた。

「君の気持ちはよく分かるが、君には君の仕事がある。1人でも多くの人に真実を伝えることも大きな仕事だよ」

慰めても、彼女は頭を振るばかり。

ロシアの侵攻に向けて、民間でも自衛団が次々と立ち上がり、武器を配り始めている。取材するうちに、スベトラーナの愛国心に火がついた。武器を持ちロシア兵に向かおうとしている女性と何人にも会ううちに、自らの非力、意気地なさをひしひしと感じている。

「武器を持って戦うことだけが能ではない。『ペンは剣よりも強し』と言うではないか」

力の限り強くスベトラーナを抱きしめた。

北京オリンピック直後に

2022年2月15日

米紙ニューヨーク・タイムズや英紙フィナンシャル・タイムズの記事をスベトラーナに見せた。ロシア軍がウクライナへ再侵攻したときの被害予想を米英政府の分析をもとに書いている。8年前のクリミアおよび東ウクライナ侵攻とは桁違いの被害が出る計算だ。ウクライナ政府は数日以内に崩壊、100万人~500万人の難民が生まれ、隣国ポーランドになだれ込む。死傷者は、民間人2万5千人~5万人、ウクライナ軍5千人~2万5千人、ロシア軍3千人~1万人と試算。

ウクライナを完全制圧するために必要な戦力の70%をロシア軍はすでに集めた。これまで10万人とされていたロシア軍は、すでに13万人とも25万人ともいう驚くべき数になっている。

プーチンにここまで舐められては、いくら弱腰のバイデンもさすがに黙っているわけにはいかない。ウクライナと隣接するルーマニアに千人、ポーランドに1700人の米軍をそれぞれ派兵する。世界の警察官をやめると宣言した米国も、もはや看過できない切迫した状況だ。

息を飲みながらスベトラーナは記事に目を走らせる。

さらに別の記事を見せる。

2月中旬ロシア軍が核兵器使用を想定した軍事演習を開始するというロシア政府の表明だ。取り方によれば、事実上のウクライナ再侵攻宣言だ。

「こういった情報を分析した上で人びとに伝える仕事が君にはあるんだ。しっかりしなきゃ」

スベトラーナの目を見ながら励ました。

何かが吹っ切れたように彼女の表情は明るく、力強くなっていくのが手に取るように分かり、安堵する。

それにしても、ロシア軍の動きを見れば見るほど背筋が寒くなる。

ロシア軍によるクリミア侵攻はソチオリンピックの直後だった。北京オリンピックの直後にロシア軍がウクライナへ再侵攻する恐れがある。同時に中国が台湾を侵攻すれば、米軍はお手上げだ。

攻撃開始の口実作り

２０２２年3月1日

ロシアがウクライナへ攻め込むと報じられていた2月16日は、いつもと変わりなく静かな時間が流れている。Xデーは来なかった。

バイデンは「ロシアが攻め込んでくる」と声を荒らげるが、そんな様子は全くない。それどころかロシアは一部の軍隊を引き上げている。

ロシアはウクライナから全面的に撤収し、何もかもが元通りになるのか。そんなことはない。スベトラーナがラジオで訴える。

「ロシアは引き上げると見せかけて、虎視眈々とウクライナを狙っているのです」

人工衛星から撮影したウクライナ国境沿いにはロシア軍が居座り続けている。一部は撤収したが、それ以上に動員され19万人にまで拡大している。

スベトラーナはさらに語調を強める。

「ロシアがウクライナへ攻め込むことはあり得ないと強調するジャーナリストは何を見ているのでしょう。プーチンが完全撤収するはずがありません。もしそんなことをすれば、プーチン政権は瓦解してしまいます」

2月20日に北京オリンピックは幕を閉じた。ロシアの動きによって、これまでにない後味の悪いオリンピックだった。国際的圧力に押されXデーにウクライナへ攻め込むことのできなかったロシア。プーチンの腸《はらわた》は煮えくり返っている。

いよいよ攻撃開始の口実作りが始まった。ドネツクでウクライナ軍が発砲を始め民間人130人以上が死亡したというフェイクニュースをロシアは流す。さらに、ウクライナ国防省などに大量のデータを送りつけ通信障害を起こすDDoS攻撃など、本格的なサイバー攻撃へと着々と歩を進めている。約70万人の住民をドネツクからロシア・ロストフへ避難させる計画にも取り掛かっている。これら一連の茶番劇は、攻撃の準備以外には考えられない。

キエフまで攻撃

2022年3月15日

2月24日、大きな爆発音で目覚めた。ロシア軍が攻め込んでくるニュースを見ていたので、朝方まで寝つけなかった。うとうとしていたちょうどそのときだった。

まさかキエフにまで攻撃してくるとは思わなかった。ウクライナ国境付近に構えるロシア軍の数が20万人近くまで膨れ上がっていたので、能天気な各国のジャーナリストみたいに何もないとは思っていなかったが、地方都市だけだと高を括っていた。ロシア人ですらプーチンがここまでするとは考えていなかっただろう。

東はドンバスから、南はクリミアから、そして北はベラルーシからロシア軍が攻め込み、ロケット弾や巡航ミサイルを打ちまくっている。

東ではハリコフが激しい攻撃を受け町がボロボロになり、南では黒海に臨むヘルソンやアゾフ海に臨むマリウポリがロシア軍に制圧された。

停戦交渉は3回開かれたが、平行線のまま。プーチンは攻撃を全く控えようとしない。国外避難民は136万人を越えた。

キエフの攻撃も日を追うごとに激しくなり、3月1日にはテレビ塔を爆撃され、死者を出した。ロシア正教の司祭が時限爆弾をシェルターなど人が集まっているところに置き去る事件が多発。本当の司祭でないかもしれないが、ここまでするとはプーチンも焦りが出始めている。

2月25日はチェルノブイリ原子力発電所を、3月4日はザポリージャ原子力発電所をロシア軍は攻撃し制圧。少し間違えば、大爆発を起こしてしまっていたかもしれない無謀な作戦だ。

スベトラーナからの電話が鳴る。

「あまりに大きな爆発音だったので、びっくりして飛び起きたわ」

その声がいつになく震えている。

「大丈夫。今から行くから、待っていて」

電話を切るや否や、身支度を簡単に済ませて部屋を出た。

あとがき

２００４年1月15日、44歳の誕生日から「東大阪新聞」に連載小説「ウクライナを歩く」を書き始めた。目まぐるしく移り変わるウクライナを、そしてそこに暮らす友人たちを書き残しておきたいという気持ちからＭａｃＢｏｏｋ Ａｉｒのキーボードを叩いた。

「模写といへることは実相を仮りて虚相を映し出すといふことなり」*という二葉亭四迷の言葉が脳裏に浮かび、小説の形式で書こうと決めた。ウクライナ人の日々の暮らしを描くことで、ウクライナ問題の本質に迫れるのではないかと漠然と考えたからだ。

それまでは短編小説しか書いたことがなかったので、どのくらい続くのか自分でも想定できなかったが、書いているうちに次々と話が進み、やがては登場人物が自分で話し始めるように。

話のネタはウクライナに暮らす友人たちとの電話やメールが主だ。ウクライナの新聞、テレビ、ラジオ、ウェブサイトなどからの情報も参考にしたが、生の声に基づいて書いたことの方が遥かに多い。

連載の途中、何度もウクライナへ足を運んでいる。そのときは五感すべてを使ってウクライナを自分の中に取り込んだ。

連載小説をいつかはまとめて出版しようと思っていたが、ズルズルと時間ばかりがいたずらに過ぎていった。

２０１４年クリミアがロシアに攻め込まれた。それに飽き足らず、ロシアは東ウクライナまで奪おうと侵攻した。さすがにキエフまでは攻撃しないだろうと誰もが思っていた。ところが、今年2月24

日にその悪夢は現実のものとなってしまった。

私ができることは何かと考えたとき、声を上げることしかないと気付いた。そこで、「ウクライナを歩く」をまとめて出版し、ひとりでも多くの人にウクライナの実状を知ってもらいたいという一心で緊急出版に踏み切った。

本書を出版することができたのはウクライナの友人たちのお陰だ。友人ではなく、もう家族だ。ありがとう。名前を挙げると、枚挙に遑がない。しかし、紙幅を裂いても書き記しておきたい友人がいる。日本ウクライナ文化交流協会を支えてくれているキエフのアンドリー・ブチネフアドバイザー、同じくキエフのオレーナ・カプラーノワ文化担当部長、そして黒木高志キエフ支部長、イゴル・ゾリーリヴィウ支部長、アンドリー・コバルチュクオデッサ支部長には心からお礼を述べたい。また、日本で活躍するアンドリー・グレンコ政治担当部長と須田エフゲーニヤ音楽担当部長、妻がウクライナ人の田平直関東支部長にも様々な情報をもらった。感謝している。

最後に、多忙のなか推薦文を寄せて下さった日野貴夫天理大学准教授、本書の編集および組版を特急で仕上げてくれた株式会社新風書房の上野真悟氏に深くお礼申し上げる。

小野　元裕

＊「小説総論」の中の一文（「中央学術雑誌」１８８６年４月）

初出　「東大阪新聞」２０１４年1月15日～２０２２年3月15日
「ウクライナを歩く」を改題

《著者略歴》小 野 元 裕（おの・もとひろ）

1970 年大阪生まれ。大阪府立布施高等学校卒業後、天理大学外国語学部ロシア学科へ。大谷深先生のもとでロシア文学とりわけドストエフスキーを学ぶ。学生時代に人生の師澤井義則先生と出会う。大学卒業後、大阪の出版社株式会社新風書房に入社。書籍編集者として 13 年間勤める。仕事の傍ら、2001年８月全員参加型学びの場「文化創造倶楽部」を立ち上げる。2005年１月同社を退職し、日本ウクライナ文化交流協会設立のため、ウクライナの首都キエフへ赴任。2006年１月帰国。１年間に様々な日本文化紹介のイベントをウクライナで催し、日烏文化交流に努める。傍ら、ウクライナの全地域を回って取材し、本の執筆やドキュメンタリー映画の制作を行う。2007年10月国立ウクライナ作家協会の招待を受け、キエフで開催の国際作家フォーラムに参加。そこで国立ウクライナ作家協会より日本人で初めて勲章を授かる。2021年５月丸山健二先生に弟子入りし、小説作法について本格的に学び始める。著書に『ウクライナ丸かじり』（ドニエプル出版）がある。愛読書は『老子』、大形徹先生のもとで読む。

株式会社ドニエプル出版代表取締役社長、株式会社東大阪新聞社代表取締役社長、日本ウクライナ文化交流協会会長、大手前大学非常勤講師、文化創造倶楽部代表世話人、先人に学ぶ人間学塾塾頭、法務省保護司。

ウクライナ侵攻に至るまで　誰も知らないウクライナの素顔

発　行　日	2022年４月13日初版ⓒ
著　　　者	小野元裕
発　行　者	小野元裕
発　行　所	株式会社ドニエプル出版 〒581-0013 大阪府八尾市山本町南6-2-29 TEL072-926-5134　FAX072-921-6893
協　　　力	日本ウクライナ文化交流協会
発　売　所	株式会社新風書房 〒543-0021 大阪市天王寺区東高津町5-17 TEL06-6768-4600　FAX06-6768-4354
印　刷　所	株式会社新聞印刷
製　本　所	株式会社米谷

ISBN978-4-88269-921-7